遅いインターネット

宇 野 常 寛

幻冬舎文庫

遅いインターネット

序章　オリンピック破壊計画

TOKYO2020

走ることが好きで、週に二、三度は朝に都内を走っている。

自宅のある高田馬場から走り出して、明治通りを新宿方面に走る。そして首都高にぶつかったところで左折するのがいつものランニングコースだ。そして自宅からちょうど5キロほど走ったあたりで、右手に新国立競技場が見えてくる。新宿御苑と神宮外苑のあいだにあたるこの地区は緑が多い。そして静かな高架下の日陰を走っていると反対側に突然巨大な建造物たちが次々と現れることになる。その一番奥にそびえているのが、完成したばかりの新国立競技場だ。

僕はしばらく前からこのいわくつきの競技場の建設現場を走りながら眺めることを密かな楽しみにしていた。巨大な建造物が通りかかるたびに少しずつ、しかし確実に完成に近づいていくことに他人事ながらちょっとした満足感を覚えていた。だけどその一方で、いつも考えることがあった。こんなものは壊れてしまえばいいのに、と。工事現場の前を通り過ぎながら、僕はいつも完成間近の新国立競技場が爆煙を上げて、燃え上がるさまを想像していた。和のテイストを部分的に取り入れて、木材をたっぷりと用いたこの建物はきっとよく燃えるだろう。真っ青な夏の空の下、黒い煙を上げて燃え盛る競技場の上をカラスのように真っ黒な戦闘ヘリコプターが飛び去っていく場面を、いつも思い浮かべていた。

気がつけば、2020年の東京オリンピック／パラリンピックまであと1年足らずに迫ってしまった。

この間に、天皇が譲位して元号も平成から令和へと変わった。あたらしい時代がここからはじまったかのように、目を輝かせて語る人も多い。だけど、実際のところはこの国は何も変わってはいない。平成は終わっても、「失われた30年」が終わったわけではない。もちろん、それを終わらせるためにこそ、まずは気持ちをいったんリセットしたいと考えるのはよく分かる。でも、気分だけが先走って実体が伴っていないことを、本当は多くの人が感じているはずだ。僕が改元にも、2020年のオリンピック／パラリンピックにも空疎さを感じているのはそのためだ。ただ、この後ろ向きのモードをリセットしたい、という気持ちだけが先走って空回りしてしまっているように思えるのだ。

そもそも、この2020年の東京オリンピック／パラリンピックは何のために行われるのだろうか。オリンピック／パラリンピックはそれ自体が目的である――「参加することに意義がある」というオリンピックの創始者（クーベルタン）の言葉にあるように――と考える人もいるだろう。

だけど、現実はもっと生々しいものだ。現代の規模的に肥大したオリンピック／パラリンピックは、国家を挙げた一大事業だ。オリンピック／パラリンピックはある時期から参加国と競技種目の増加に伴ってそれ自体ではどう考えても採算の取れないものに、いや、それどころか開催国、開催都市の財政に致命的なダメージを与えかねないものになっている。

それはオリンピック／パラリンピック開催の経済効果をもってしても賄えないもので、たとえば１９７６年のモントリオールオリンピックでは競技場の整備などが市や州の財政を圧迫し、その結果、住民たちはその後に約30年にも亘って、不動産税やたばこ税の高騰に苦しむことになった。この問題を解決すべく１９８４年のロサンゼルスオリンピックで大胆に導入されたのが、テレビの放映権料でマネタイズするというビジネスモデルだ。その結果として、いまや一部の競技のルールや開催時刻はテレビの生中継に最適化されるかたちで改変されているというから驚きだ。そう、現代のオリンピック／パラリンピックは何よりまずテレビショーなのだ。そして、この莫大なテレビの放映権料をもってしてもなお、年々規模が巨大化する現代のオリンピック／パラリンピックは基本的に開催都市にとっては不採算な事業になっている。

それでもオリンピック／パラリンピックを世界中の都市が誘致するのはそれが絶大なナショナリズムを発揮させる装置だからだ。国家がそのアイデンティティの再構築を要求されるとき、オリンピック／パラリンピックの開催は非常に有効な手段として信じられている。そしてそれゆえに、オリンピック／パラリンピックはしばしば、国家がその中核となる都市開発計画を円滑に進行し、市民に理解を得るための物語として利用される。そうすることで、この不採算な巨大事業はナショナリズムの触媒となると同時に、都市を対象とした未来への投資として位置づけられる。たとえば、２０１２年のロンドンオリンピック／パラリンピックは移民や低所得者の集まる東地区の大規模再開発を前提に誘致されたものだ。オリンピック／パラリンピックとは、ある街と国が次の世代に手渡したい未来の社会の青写真があってはじめて誘致されるべきものなのだ。

次世代への投資を動機づける「物語」としてのオリンピック／パラリンピック——その見本と言える成功例が１９６４年の最初の東京オリンピック／パラリンピックだった。首都高速道路も東海道新幹線も、半世紀以上前にこの東京オリンピック／パラリンピックに向けた都市改造として整備されたものだ。そう、１９６４年の東京オリンピック／パラリンピックは、敗戦の復興から高度成長へと飛躍する当時の日本の国威発揚であると同時に、急速に発展する国内産業を下支えする都市改造とインフラストラクチャーの総合整備を表のテーマにしたものでもあったのだ。そこには、半世紀規模の大計画が、この国の近未来を見据えた青写真がたしかに存在した。

だが、来るべき2020年の東京オリンピック／パラリンピックはどうだろうか。そこには基本的に何も、ない。そこに存在するのはせいぜい、もう一度東京にオリンピック／パラリンピックがやってくれば、誰もが上を向いていた「あのころ」に戻れるのではないかというぼんやりとした（そしてまったく無根拠な）期待だけだ。実際に2020年の東京オリンピック／パラリンピックに、1964年に存在したような半世紀先を見据えた都市改造や国土開発の青写真はまったく存在しない。消去法で選ばれてしまったこの2020年のオリンピック／パラリンピックに対して、この国の人々はまったくビジョンをもっていないのだ。自治体間の予算の押し付け合いと、開催準備の混乱が体現する「うっかり呼んでしまったオリンピック／パラリンピックのダメージコントロール」が、来るべき2020年の東京オリンピック／パラリンピックの実体だ。

そう、僕たちは2020年にオリンピック／パラリンピックを迎えるべきではなかったのだ。少なくとも、このあと半世紀の都市計画の青写真と社会そのもののグランドデザインなしに誘致すべきではなかったのだ。いや、むしろこの国の現状を考えるのなら、これらをしっかりと備えた上でオリンピック／パラリンピックを誘致して、そしてやりきることで本当の意味で平成を、失われた30年を終わらせるべきだったのかもしれないが、現実に進行しているのはその真逆のことだ。

ただ、誤解しないでほしい。だからと言って僕はいまさらオリンピック／パラリンピックを返上すべきだと述べる気はない。実効性をもたない反対論を唱えることで席を確保するような仕事にはそもそも興味が、ない。むしろその逆でこの無策でそれゆえに空虚なオリンピック／パラリンピックは、反面教師として僕たちにこれから為すべきことを教えてくれるように思えるのだ。だから僕はただ文句をつけるだけではなく、ポジティブな「対案」を示すことにこだわった。

僕の雑誌『PLANETS vol.9』（2015年1月発売）［※1］のテーマは2020年の東京オリンピック／パラリンピックだった。

僕ははっきり言ってしまえばこのオリンピック／パラリンピック招致には反対で、そして反対しているからこそ単に批判するのではなく僕たちなりの「対案」を残そうとした。少しでも未来に残すものが多いオリンピック／パラリンピックにするべきだと考えて、仲間たちと僕たちの理想の「２０２０年東京オリンピック／パラリンピック」の企画案を発表した。

　このとき僕が考えていたのは、言ってみればオリンピック／パラリンピックをテレビの中の他人の物語を「見る」だけのものではなく、インターネットの時代に相応しく自分の物語として「参加する」ものにすることだった。画面の中のアスリートに感動し、みんなでひとつの同じ夢を見るのではなく、ひとりひとりが参加し、それぞれの、ばらばらの自分の物語を見つけるものにできないか。そしてそうすることで、この国の社会に決定的に欠けている多様性をインストールする。そんな社会提案になっていればよいと考えた。

　開会式は過去の栄光を自慢するものではなく、こんな未来を手にしたいという理想を込めるものにしたい。近代スポーツにつきまとう五体満足主義的な身体観をもっと多様なものにアップデートしたい。この東京という街を、21世紀を代表するメガシティとして世界にビジョンを示すものにしたい。そうした様々なアイデアを詰め込んだ一冊になった。

　たとえばチームラボの猪子寿之が単に「見る」だけでなく、情報技術を駆使して市民も参加できる開会式や競技中継のプランを考えた。あるいは乙武洋匡（ひろただ）のオリンピック／パラリンピックの融合案を実現するために、ゲーム研究者を中心に新しい競技の開発を試みた。あるいは建築家や社会学者たちでチームを組んで、こうした多様性を受容し育むことのできるハードウェアをコンセプトに東京の再開発計画をまとめ上げた。それが僕らの「オルタナティブ・オリンピック／パラリンピック・プロジェクト」だった。

個人的にはとても手応えのある一冊になったと思う。しかし、この本は一部のメディアや関連業界に少し反響があっただけで、社会に大きな波を起こすことはできなかった。そもそも、この本が発売された２０１5年1月の時点では２０２０年の東京オリンピック／パラリンピックそのものの社会的な関心は驚くほど低かった。

だが発売からしばらくあとに、新国立競技場建設の膨大な予算とエンブレムの盗用疑惑によってオリンピック／パラリンピックは社会的な関心を集めることになった。どこかに自分より甘い汁を吸っている人間がいるに違いないのだという被害者意識によって駆動されて、瞬く間に誰もが誰かを叩くことに夢中になっていった。このとき僕は誰もが「……ではない」という言葉（批判）を欲しがり、「……である」という言葉（対案）を望んでいないことを痛感した。否定の言葉だけが人間と人間をつなぐことができる。それがこの社会の身も蓋もない現実だった。

そして、あれから5年、平成が終わり、令和という時代がはじまった。しかし、この国の本質は何も変わっていない。問題は何も解決していないのだ。

その象徴があの新国立競技場だ。長期的な都市開発のグランドデザインをもたないまま、メインスタジアムとしてザハ・ハディドの設計による国立競技場の建て替えを決定し、その膨大な予算額が世論の批判を集めて葬り去られ、「多少の」予算の圧縮を実現することで限研吾の極めて無難な設計が採用されて建て替えが実行された。もちろん、この建て替えを中心とした再開発で東京という街が生まれ変わることもないし、これから必要な都市機能が整備されることもない。まず長期的な思考の欠如による根本的に安易で、空回りしていて、その上実現すら危ういどうしようもない（無）計画が前提として存在して、その杜撰な計画がその場その場でのちょっとした空気に左右されて、「修正」されていく。そしてそのすったもんだの中で根本的な問題設定の間違いは正されないまま放置されるのだ。

平成という「失敗したプロジェクト」

そしてなし崩し的に「平成」と呼ばれた時代が終わり、「令和」という新しい時代が幕を開けた。しかし、この国の実体は何も変わっていない。新国立競技場のデザインを変えても、青写真をもたない東京オリンピック／パラリンピックの実体が何も変わらないように。

そもそも「平成」とは何だったのか。それはどのような時代だったのか。２年ほど前に、新聞のインタビューに僕はこう答えた。

平成とは「失敗したプロジェクト」である［※2］、と。

そのプロジェクトとは何か。それは「政治」と「経済」、ふたつの「改革」のプロジェクトだ。「平成」とは政治改革（二大政党制による政権交代の実現）と、経済改革（20世紀的工業社会から21世紀的情報社会への転換）という二大プロジェクトに失敗した時代である。これが、僕の結論だ。

平成の政治改革とは自由民主党による事実上の一党独裁と、社会党をはじめとする諸野党による対立を装った補完によって形成されてきた55年体制という共犯関係を打破し、中道的な二大政党制に移行することで議会制民主主義を機能させることを目的としたプロジェクトだった。

そのために試みられたのが、思想的、政策的には呉越同舟である自民党を主に経済政策によって二分し、野党を解体して組み込みながら中道的な二大政党に再編することだった。それが1993年の細川護熙内閣にはじまる平成の「政治改革」だ。その後の「第三極」ブームも、地域改革政党のブームも、源流はここにある。

しかしこの日本に機能する「民主主義」を導入しようとする運動は（そのプレイヤーを二転も三転もさせながら展開した運動は）、数多くの茶番劇を経ていま、完全に失敗に終わっている。

　気がつけばこの国の自民党による一党支配はより盤石になり、政権交代の可能性は皆無に等しい。今日における諸野党の役割は政権交代の可能性を模索することではなく、「55年体制」下の諸野党がそうであったように自民党への批判票の受け皿となることに回帰している。2012年末の民主党政権の自壊と第二次安倍政権の成立によって、この国の「政治改革の30年」は、平成最大のプロジェクトは完全に失敗に終わったのだ。


　では経済はどうか。平成の30年で、この国の経済は相対的に大きく後退している。「平成」がはじまったころ、日本はアメリカに次ぐ世界第2位の経済大国だった。「ジャパン・アズ・ナンバーワン」という言葉が時代を象徴するフレーズとして世界中に共有され、20世紀後半の重工業社会でもっとも成功したモデルとして日本的経営が評価されていた。

　しかし、今日ではどうだろうか。端的に述べれば日本はかつての成功体験に引きずられ、20世紀的な工業社会から脱皮できないでいる。その結果21世紀的な情報産業は発達せず、東京はシリコンバレーや中国沿岸部といった、世界経済を牽引する都市群に完全に置いていかれてしまっている。

　そして国という単位でも日本は隣国の中国の圧倒的な成長を前に為す術もなくあっさりと

追い抜かれ、それどころか人口3分の2のドイツに追いつかれようとしている。経済的な豊かさの国際指標とされる1人あたりのGDPにおいてこの国は恐るべきことに世界第18位までに転落しているのだ［※3］。

かつて「ジャパン・アズ・ナンバーワン」と讃えられた日本的な経営は、いまや個人の個性を抑圧し、才能を潰し、組織の歯車にすることで、情報産業を支えるイノベーションを疎外するための仕組みでしかない。そしていまでもこの国では成果ではなくメンバーシップに対して報酬が支払われる制度が生き残っている。会社への忠誠心を測る基準として残業時間が評価され、「打ち合わせ」という名の上司や取引先への愚痴大会が稼働時間の大半を占め、その不毛で陰湿なコミュニケーションがそのまま夜の「飲み会」に反映される。こうしたコミュニケーションのためのコミュニケーションを反復する中で、人間は「個」を失い、独創的な思考を失い、組織の歯車となっていく。もちろん、20世紀の工業社会ではこうして規格が統一され、寸分の狂いもない（誰もが同じ思考をする）ネジや歯車のような人間を集めたほうが有効な局面もあったに違いない。しかし、今日においてこうした個を失い、想像力を失った人間は何も生み出すことができない。むしろ出る杭を打ちたくなる同調圧力をもたらし、イノベーションを疎外する要因にしかならないことは誰の目にも明らかだ。

しかし過去の成功体験に引きずられた旧い日本人たちはそのことを認めようとしない。その結果フィンテックもシェアリングエコノミーもいまだ普及の兆しすらなく、多くの現役世代が実感しているように、この国は技術的にも社会的にも周回遅れになっているのだ。いまだに通帳と判子が幅を利かせ、実店舗に足を運ぶことを要求される金融取引、既存の業界の雇用を守るという大義名分で規制されるライドシェア……これでは絶対に諸外国と戦えないと絶望したビジネスマンは数知れないはずだ。

そしてこうした経済の体質は、本来は政治主導で改善されていくべきだった。いや、正確にはグローバルな経済の変革の波とうまく付き合っていく（流れに乗らなければ機を逸するものについては船頭となり、うっかり流されてはいけないものは防波堤になる）ために政治が機能すべきだった。しかし、現実の政治はこうした波に鈍感さを発揮したまま、単に静観することしかできなかった。それどころか、現実の変化を認めたくない人々の側に立って、リスクを取って波に乗ろうとする人の足を引っ張ることに加担することすらあった。この状況に終止符を打つこともまた、平成の政治「改革」の大きな目標だったはずだ。

もちろん経済規模や生産性だけが、社会の質を決定すると考えるのはあまりに安易だし、僕は当時の「改革」だけが「正解」であったとも考えない。だが、この経済的な失敗がこの国を決定的に後ろ向きな「つまらない国」にしてしまっていることも間違いない。

いま、世界をもっとも強い力で更新しているのは経済だ。マルクス主義は20世紀の末に完全に失敗したが、いま、資本主義の内部から国家を超えた社会変革の可能性が芽吹いている。革命や政治運動で時の政府を打倒してもローカルな国民国家しか変わらない。しかし、グローバルな市場に情報技術を用いたイノベイティブな商品サービスを投入することで、世界中の人間の社会を、生活を一瞬で変えることができる。いま、世界中の人々がこの可能性に賭けている。いや、それどころか日本が出遅れているあいだに、このシリコンバレーの情報産業を中心に展開したグローバル資本主義のもたらす副作用に対する反省のターンに世界は既に入っている。

グローバルな市場と情報技術が、世界をひとつに結ぼうとすればするほど、この波に乗り遅れた人々――主にかつての先進国に暮らす、20世紀の工業社会の構造下で旧後進国を搾取していた人々――が既得権益を失う恐れから再び「壁を作れ」と声を上げ、国民国家に回帰している（トランプ／ブレグジット）。このグローバルな市場とローカルな国家の対立構造――同時にこれは相対的にリベラルで多様性を擁護する市場（非民主主義）と、排他的で保守的な国家（民主主義）とのねじれた対立構造でもある――の解消こそが、今日の世界的な課題であることは明らかだ。

つまるところ、いま求められているのはグローバル資本主義と、その背景にある情報技術の批判的な発展だ。しかし、1周遅れのこの国ではそもそもグローバル化も、社会の情報化もそのものが受容されていない。20世紀的な工業社会から、21世紀的な情報社会への転換に失敗し、グローバル化に対しても相対的に門戸を閉ざしている。このような1周遅れの状況で、オールドタイプの知識人やオールドメディアのジャーナリストたちが、欧米のグローバル資本主義やシリコンバレー的な技術主義に対する批判の潮流を歓迎し、1周遅れの自分たちの正当化に用いるという、絶望的な状況がこの国を覆っている。

あえて背を向け、選択しないこととそもそも選択肢が存在しないことはまったく違う。この国は、あたらしい世界に触れることすらできていない。だから旧いものを選ぶしかない。自分が無知であることすら知らない人はあたらしいものにアレルギー反応を示し、世界を変えることに貢献できるほどは賢くない人は（最初から選択肢などないことからは都合よく目をそらして）あえて旧い世界に留まることが賢いのだと自分に言い聞かせる。しかしどちらも問題外だ。移民にもシェアリングエコノミーにもフィンテックにも「あえて」背を向ける選択はもちろん検討されるべきだが、それはそれらの可能性を批判的かつ建設的に検証し尽くしたあとでなければ意味はない。空回りする逆張りほど空しいものはない。

平成という失われた30年は、やはり「失敗したプロジェクト」だったのだ。

「動員の革命」はなぜ失敗したか

ではこの「平成」という「改革」のプロジェクトはなぜ失敗したのだろうか。

小沢一郎、小泉純一郎、橋下徹、小池百合子——その所属勢力こそ異なるが、平成という時代はカリスマ的なリーダーがテレビポピュリズムを用いて、55年体制的な戦後政治を打破しようとした時代だった。しかし誰ひとりとしてその志を貫徹できなかった。それは彼らの選んだテレビポピュリズムという手法の限界でもあった。

ポピュリズムはその性質上持続可能性が低い。最初の選挙ではメディアの操作に成功し、ワイドショーの「潮目」を読み「風」を吹かせたとしても、その次、さらにその次までそれを持続させることのできるケースはほとんどない。あの小泉純一郎ですら、5年で「勝ち逃げ」することが精一杯だった。これは都市の無党派層のうち、それもテレビの報道番組やワイドショーでの印象で投票先を決定するリテラシーの低い大衆を動員することで既存政党の組織票に対抗するという戦略そのものの限界に他ならない。その帰着が2012年末の第二次安倍晋三政権の成立にはじまる「55年体制」への事実上の回帰だ。平成というポピュリズムの時代はこの国の民主主義の成熟を促すどころか、ただ政治漂流の苦い記憶だけを残す結果に終わったのだ。

　このテレビポピュリズムを超克(ちょうこく)する可能性として一瞬だけ注目を集めたのが、インターネットを通じた政治運動だ。２０１０年から２０１２年にかけて発生した「アラブの春」、２０１１年のオキュパイ・ウォールストリート運動など、この時期、世界的にソーシャルメディアによる市民運動への動員が注目を集めていた。この国でも東日本大震災の直後に反原発デモがTwitterの普及とその動員力を背景に拡大し、「ウェブで政治を動かす」「動員の革命」が政治を変えると、本気で議論されていたことがあった。そして結論から述べれば、「動員の革命」という発想は安易だった。「動員の革命」を主張するアジテーターたちは述べた。テレビをはじめとする旧来のマスメディアとは異なり、現代のソーシャルメディアはユーザーひとりひとりが「発信」することで社会に一石を投じることができる。この一石を投じる行為は人々をただ情況を見ているだけの観客から介入する当事者に変える。この延長にいま盛り上がりを見せるソーシャルメディアの動員を用いたデモがある。この世界的なムーブメントによって民主主義はあたらしいステージを迎えるのだ、と。しかし、現実に起こったことはその逆だった。広く知られるように「アラブの春」で軍事政権を打倒した国の多くが政情の不安定化を経て、ＩＳ（イスラム国）などに代表されるカルト勢力の台頭とそれに伴う内戦に陥った。日本の反原発デモも大きな成果を挙げることなく支持を失い、今日の社会のリベラルな政治勢力の衰退の遠因となった。今日において明白なのはソーシャルメディアによる「動員の革命」とは、ポピュリズムの一形態に過ぎないということだ。その動員力はテレビのそれよりも弱い。しかし、よりアクティブで熱狂的な参加者がそこには集う。この局所的な熱量の高さ、瞬間最大風速の強さは、それがより一過性の狂躁であることを意味していた。それはテレビのそれよりも、より短期で、そして熱量の高い分冷めやすく、思慮を欠いたポピュリズムに過ぎなかったのだ。テレビポピュリズムにインターネットポピュリズムで対抗するという「動員の革命」はこうして敗北していった。いや、それどころか平成というポピュリズムの時代を下支えし、強化したのだ［※4］。

そう、気づいたときは既に手遅れだった。それも、決定的に。

いまこの国のインターネットは、ワイドショー／Twitterのタイムラインの潮目で善悪を判断する無党派層（愚民）と、20世紀的なイデオロギーに回帰し、ときにヘイトスピーチやフェイクニュースを拡散することで精神安定を図る左右の党派層（カルト）に二分されている。

まず前者はインターネットを、まるでワイドショーのコメンテーターのように週に一度、目立ちすぎた人間や失敗した人間をあげつらい、集団で石を投げつけることで自分たちはまともな、マジョリティの側であると安心するための道具に使っている。

対して後者は答えの見えない世界の複雑性から目を背け、世界を善悪で二分することで単純化し、不安から逃れようとしている。彼ら彼女らはときにヘイトスピーチやフェイクニュースを拡散することを正義と信じて疑わず、そのことでその安定した世界観を強化している。

そして今日のTwitterを中心に活動するインターネット言論人たちがこれらの卑しい読者たちを牽引している。

彼らは週に一度週刊誌やテレビワイドショーが生贄を定めるたびに、どれだけその生贄に対し器用に石を投げつけることができるかを競う大喜利的なゲームに参加する。そしてタイムラインの潮目を読んで、もっとも歓心を買った人間が高い点数を獲得する。これはかつて「動員の革命」を唱えた彼らがもっとも敵視していたテレビワイドショー文化の劣化コピー以外の何ものでもない。口ではテレビのメジャー文化を旧態依然としたマスメディアによる全体主義と罵りながらも、その実インターネットをテレビワイドショーのようにしか使えない彼らに、僕は軽蔑以上のものを感じない。

あるいは彼らは、人々はもはや考えないためにこそインターネットを用いることを前提に読者が欲しがっている言葉を、最初から結論が分かっている議論をまるでサプリメントのように配信する。そしてサプリメントを受け取った読者はいまの自分は間違っていないのだと安心する。自分は善の側に立っていることを確認し、反対側の悪を非難すれば自分は救われると信じることができる［※5］。

これがインターネットポピュリズムで政治を動かすと宣言した「動員の革命」の現在形なのだ。そしてその実体は平成のポピュリズムの超克ではなく、その補完以外の何ものでもなかった。元号が変わっても、平成というポピュリズムの時代は終わる予感すらない。

走りながら考える

２０１６年８月21日の午後８時（現地時間）――リオデジャネイロで開催されていた夏季オリンピックの閉会式が全世界に中継された。４年後の２０２０年の開催都市は、東京。二度目のオリンピック／パラリンピックを迎えるこの地球の裏側の都市へ、五輪旗の引き継ぎ式が行われた。

引き継ぎ式は大手広告代理店を中心に編成されたチームによって演出され、そしてその中でも注目を集めたのが式典の最後を飾った安倍晋三首相の登場につながる映像パートだった。北島康介、高橋尚子といったかつてのオリンピックで活躍したアスリートたちに交じって、キャプテン翼、ドラえもん、ハローキティ、パックマンといった戦後マンガ、アニメ、ゲームのキャラクターたちが競演し、「規律と調和」「おもてなし」といった「日本の精神」がアピールされていった。

そして、リムジンに乗って登場した安倍はこのままでは閉会式に間に合わないことを悟ると、車中で〈スーパーマリオ〉シリーズのマリオに変身する。渋谷の駅前に現れたドラえもんが、四次元ポケットから土管を取り出してスクランブル交差点に設置、安倍は土管の中に潜りワープを開始する。地球の裏側、リオデジャネイロへ向けて。すると、中継画面は会場のライブ映像に切り替わる。ステージの中央にいつの間にか設置されていた土管からマリオに扮した安倍本人が登場する――。

少なくとも国内からは賞賛の声が相次いだこのクロージングのパフォーマンスを目にしたとき、僕は強く思った。このクロージングの演出はたしかに過不足がない。そこにはものづくりとサブカルチャーの大国として進んできたこの国の戦後の姿が、内外の視線を織り交ぜてある程度適切に記述されているのは間違いないだろう。しかし、同時に強く感じた。ここにはなにひとつ未来がない、と。そこには、これからこの国はこうありたい、という部分がすっぽり抜け落ちていた。かつての、1964年の東京オリンピック／パラリンピックは経済大国化という夢の結晶だった。復興から高度成長へ、そして経済大国へ。首都高速道路、東海道新幹線、カラーテレビ――官民のインフラ整備が象徴するように、あのオリンピック／パラリンピックは来るべき未来のビジョンと密接に結びついていた。しかし……

この優秀な、と言ってよい、一見過不足のないクロージングに対して僕が物足りなさを感じるとすればそれは、未来のなさ、だ。戦後という時代の成果物と、そこに息づく「日本的な」精神を歴代のトップアスリートに交じって戦後サブカルチャーのキャラクターたちがアピールし、そして時の首相がマリオとして現れる。そこには既に失われた時代の栄光を振り返る力はあっても、未来を構想する力はまったく、ない。僕にはあのクロージングが、同時にもはや日本は過去にしか語るべきもののない国になってしまったことを告白しているように思えたのだ。

僕はあの新国立競技場を目にするたびに、思い出すある映画の台詞（せりふ）がある。「戦線から遠のくと、楽観主義が現実にとって代わる。そして最高意思決定の段階では現実なるものはしばしば存在しない。戦争に負けているときは特にそうだ」［※6］。何を言っているんだ、戦争なんてまだはじまっていないじゃないか。そう考える人も多いだろう。けれど、違う。戦争はもうとっくにはじまっているのだ。平成と呼ばれた「失われた30年」がはじまったあのときから、いや、そのはるか以前から戦争ははじまっていたのだ。ただそのことに、僕たちが気づくのが遅すぎた。そして、僕たちはいま戦争に負けていることから目をそらすための楽観主義に陥っている。

あの新国立競技場は、かつての戦艦大和のようなものだ。もはや時代遅れの無用の長物でありながらなけなしの、しかし膨大な資源と人員と予算を投じて建造された帝国海軍の象徴としての巨大戦艦は事実上なにひとつ戦果を上げることなく、沖縄の海に沈んでいった。あの決定的な敗戦から70年と少し。この国の人々は再び大和を建造してしまったのだ。

そう、問題は競技場のデザインや建築費用ではない。そもそも東京という街をこれから半世紀どうするのかというビジョンが存在しないことが問題なのだ。競技場の建て替えはもちろん、あらゆる再開発はそこから逆算されなければいけないはずだった。しかし、残念だけれど僕たちはこうした青写真を、未来への展望を一切もたずに2020年の夏を迎えようとしている。そして、それが巨大な茶番であることから誰もが目をそらそうとしている。だから僕はあの新しい国立競技場を目にするたびに思うのだ。こんなものは壊れてしまえばいいのに、と。

前述した僕と仲間たちが提案した2020年東京オリンピック／パラリンピックの対案――『PLANETS vol.9』の「オルタナティブ・オリンピック／パラリンピック・プロジェクト」――にはちょっとした仕掛けのようなものが仕込んであった。この本はA（Alternative

＝実施対案）、B（Blueprint＝都市計画の青写真）、C（Culture＝文化施策）という三つの計画から成る理想の東京オリンピック／パラリンピックの企画書だった。しかし実は巻末に四つ目の計画「D」が存在する。この「D」とは「Destroy」つまり「破壊」のDだ。「オリンピック破壊計画」と題したそれは、体裁としては想定される東京オリンピック／パラリンピックへのテロ対策を考えたものだったが、事実上は破壊計画のシミュレーションだった。僕はずっと、このオリンピック／パラリンピックは破壊されるべきなのだと、考えているのだ。

もちろん、本当に新国立競技場を破壊しても意味がない。本当に世界を変えたいのなら、むしろ僕たちはあの巨大建築が象徴するものを、この社会を覆う見えない壁のようなものを破壊しなければいけない。オリンピック／パラリンピックも新国立競技場も象徴に過ぎない。これらはこの平成という失われた30年で事実上二流国に転落し、そしてその現実から目をそらし続けるこの国の、表面だけを辛うじて取り繕ったハリボテのようなこの国の象徴に過ぎない。

だから僕たちが破壊しなければならないのは、この2回目の（茶番としての）オリンピック／パラリンピックそのものではない。こうした茶番を反復して再生産する目に見えない力の源を、僕らの思考を現実から遮断する目に見えない壁を僕たちは破壊しなければいけないのだ。

以前の僕はこの茶番を、2020年の東京で行われることを少しでも茶番ではないものにするための対案を出すことを考えていた。しかし、いまの僕は少し違う。むしろこの茶番が反復される構造を破壊することを、そして別のものに作りかえることを考えている。そしてそのためにまずオリンピック／パラリンピックという他人の物語を語るよりも、自分の物語を自分で走ることのほうに関心がある。

だからこれは、走りながら考える本だ。ゴールは決められていない。たぶん栄養剤のようにこの本を読み通すことで力が湧いてくることもなければ、安定剤のようにいまの自分はそれでよいのだと安心することもないと思う。いま書店に並んでいる本は大抵このどちらかだ。しかしこの本を読むと、どちらかと言えば、スッキリしない、モヤモヤとしたものが残るはずだ。けれど、こうしたモヤモヤとしたものが身体に沈殿するからこそ、それを吐き出すために人は走り出す。そう、この本は一緒に走りながら考えてもらうための一冊だ。あらかじめ分かっていることを確認して安心するための本ではなく、手探りで、迷いながら考える本だ。そしてこの国を、いやこの世界を覆う目に見えない壁を破壊する言葉を手に入れること。それがこの本の目的だ。

では、そろそろ走りはじめよう。繰り返すが、ゴールは存在しない。これは一緒に考えながら、一緒に走る本だ。答えを用意して、活力や安心を与えるための本ではなく、問いを共有して一緒に迷い、試行錯誤するための本だ。ゴールテープを切ってタイムに満足する気持ちよさは提供できないけれど、走ることそれ自体の気持ちよさはきっと共有してもらえると思う。

目次

第2章　拡張現実の時代　83

文庫版書き下ろし

新　章

分断する社会とより「速い」インターネットの時代への対抗戦略 261

第1章

民主主義を半分諦めることで、守る

２０１６年の「敗北」

では、思考の皮切りに少しだけ時間を遡ろう。

まず僕たちはあの3年前の、２０１６年11月8日のことを思い出すべきだ。あの日は世界を駆動していたひとつの理想が決定的に躓(つまず)き、そして敗北した日だった。

その日行われたアメリカ大統領選挙によって第45代大統領に選ばれたのは、大方の予想（あるいは希望的な観測）を覆してヒラリー・クリントンではなくドナルド・トランプだった。

開票が行われたのは（日本時間では）翌日の水曜日で、勝敗が決したとき僕は非常勤で1コマだけ講義を担当している大学の教壇に立っていた。授業の準備をしている午前中は、まだ多くの人が（そして僕も）ヒラリーの勝利を前提にしていた。開票状況は既にトランプの勝利を証明しつつあったのだけど、人々はそれを認めたくなかったのだと思う。そして、講義を終えたころには勝敗が決していた。

講義が終わっても帰らない学生たちは僕に尋ねた。なぜ、ヒラリーはトランプに敗れたのか、と。僕は答えた。それは、グローバリゼーションへのアレルギー反応なのだ、と。この四半世紀でアメリカとベトナムの格差は圧倒的に縮まっているが、シリコンバレーの起業家とラストベルトの自動車工の格差は逆に広がっている。だから、ラストベルトの自動車工は「壁を作れ」と反グローバリゼーションを掲げるナショナリストを、つまりトランプを支持したのだ、と。

だけど僕は学生たちに一通り解説しながら、それだけでは足りないものを感じていた。

グローバルな市場とローカルな国家の対立——この構造は、21世紀初頭から世界中の哲学者や経済学者、あるいは歴史学者によって繰り返し指摘されていることだ。だが、2016年に人類が突きつけられたのは、このパワーバランスが想定されていたものとはいささか異なるかたちに、それも急激に変化しつつある現実だった。たとえば、アントニオ・ネグリとマイケル・ハートが2000年に出版した『〈帝国〉』では国民国家のコントロールを超えたグローバルな単一市場に君臨する超国家的な存在を「帝国」と形容している［※7］。この「帝国」は今日においては「GAFA」(Google, Apple, Facebook, Amazon) などのグローバルな情報産業の支配的な状態を強く想起させる。ネグリ＝ハートの「帝国」という言葉の選択は、ローカルな国家に対するグローバルな市場の側の勝利を前提としたものだ。ネグリとハートは述べる。私たちがいま、不可避の支配力としてその存在を正しく認識し、抵抗しなければならないのはグローバルな資本主義市場が形成する皇帝も独裁者もいない（しかし、確実に存在し私たちの生を決定する）あたらしい「帝国」なのだ、と。しかし実際にこの日起こったのは、むしろこのあたらしい帝国の支配がその震源地で否定されたことではないか。

あるいはなぜバーニー・サンダースではなく、トランプなのかという問いを立ててみてもよい。もしヒラリーの敗北の原動力が、グローバリゼーションが再生産する国内格差だけに起因するのであれば、ヒラリーを制するのは民主党予備選挙で彼女と争い、よりラディカルな再分配を訴えていたサンダースであるべきだったのではないか。

僕たちがこの選挙の結果に、ドナルド・トランプの台頭に感じる不気味さは、背中のあたりがむず痒くなるような感覚は、もっと言ってしまえばある種の後ろめたさのようなものはどこから生まれるのか。むしろ自分が言葉にしなければならないのは、その不気味さについてではないか。そう感じていた。

そんなモヤモヤした感情を引きずりながら仕事場に戻って、ふとFacebookを開くとそこには仕事仲間たちがトランプの当選を嘆く投稿が並んでいた。投稿しているのは概ね、六本木や渋谷の情報産業に関わる起業家や投資家やエンジニアたちで、彼らの投稿はどれもとても似通っていた。曰く、自分のシリコンバレーの、ニューヨークの友人たちがこの結果を嘆いている。しかし絶望する必要はない。僕たちは国民国家などという旧い枠組みに囚われないあたらしい世界を既に生きている。僕たちのようなグローバルな市場のプレイヤーにもはや国境など関係ない。アメリカがトランプの支配によって自由を失ってしまうのなら、ロンドンに、パリに、シンガポールに、そして東京に来ればいいだけの話じゃないか、と。

僕は彼らの投稿を一読して、頭を抱えた。彼らの主張は概ね、正しい。しかし正しいからこそ、彼らは決定的なことを揃いも揃って見落としている。自分たちは既にあたらしい「境界のない世界」の住人であり、旧い「境界のある世界」のルールなどもはや関係ないのだと語る彼らのこの「語り口」こそが、トランプを生んだのだ。そのことに彼らはまるで気がついていない。彼らの「語り口」とその背後に渦巻くものこそが、トランプが述べるものとは別の、そしてより決定的な「壁」を再生産してしまっているのだ。そして、ここに僕が言葉にしなければいけないこと——トランプを大統領に押し上げてしまったものの本質——があるのだと思った。

世界はいまたしかに「境界のない世界」に近づきつつある。そして、いまだに世界に多く残された旧い「境界のある世界」の住人たちは、この時代の流れにアレルギー反応を示しつつある。実際に、この2016年はあたらしい「境界のない世界」へのアレルギー反応が噴出した1年だった。アメリカ大統領ドナルド・トランプの誕生、そして同じ2016年に行われたイギリスのＥＵ離脱を支持する結果となった国民投票（ブレグジット）。２０１６年は冷戦終結後から一貫して進行してきたグローバリゼーションに、そしてそれと並走して進行してきた人類社会の情報化に対するアレルギー反応の時代に世界が突入したことを宣言する1年になったのだ。

ドナルド・トランプは声高らかに宣言する。「壁を作れ」と。この「壁」とは直接的には国民国家間に引かれた国境のことであり、比喩的にはグローバリゼーションの進行が世界を市場というひとつのゲームボードに統一しようとする流れに対する防波堤のことだ。そして彼が「壁」を作れと叫ぶのは、現実には既にそこからは境界が少なくとも経済のレベルでは徐々に、しかし確実に取り払われているからだ。

そう、既にかつて存在した壁は取り払われてしまっている。だからこそ壁を再建せよと叫ぶ声が響くのだ。そして壁を作れと号令をかける人間ではなくむしろ壁などもはや自分たちには関係ないと豪語する人々があたらしい精神的な「壁」を無意識のうちに作り上げてしまっているのだ。

冷戦終結から約四半世紀のあいだに20世紀的な国民国家の集合（インターナショナル）から、世界単一の市場経済（グローバル）へ世界地図を描く図法は変化し、このあたらしい「境界のない世界」は急速に拡大していった。今日の世界においては革命で時の政権を倒しても、ローカルな国民国家の法制度を変えることが関の山だが、情報産業にイノベイティブな商品やサービスを投入することができれば一瞬で世界中の人間の生活そのものを変えることができる。21世紀とはグローバルな市場というゲームボードによって世界がひとつの平面に統一された時代であり、その主役は国境を越えて活躍するグローバルな情報産業のプレイヤーたちに他ならない。たしかにこのあたらしい「境界のない世界」を生きる彼らにとって、もはや生まれ出た土地が所属する国民国家は、個人の属性を示す無数のタグのひとつに過ぎないだろう。

だがその一方でこの世界に生きる大半の人々はこのあたらしい「境界のない世界」に投げ込まれてしまったことに気づいていない。より正確にはいつの間にかあたらしい世界の中に投げ込まれてしまったことに気づきはじめているために、脅え、戸惑っている。彼らの心はいまだに20世紀的な、旧い「境界のある世界」に取り残されている。彼らはまだまだ精神的にも、経済的にもローカルな国民国家という枠組みの保護を必要としているのだ。

イギリスのジャーナリストであるディヴィッド・グッドハートは前者を「Anywhere」な人々、後者を「Somewhere」な人々と名付けた［※8］。「境界のない世界」を生きる人々は「Anywhere」に、つまり「どこでも」生きることができる。あの日彼らが口を揃えてアメリカがトランプに支配されるのならば、ロンドンに、パリに、東京に来ればよいと述べたことがその世界観を象徴している。対して「境界のある世界」にその心を置いてきてしまった人々は、「Somewhere」つまり「どこか」を定めないと生きていけないのだ。

このあたらしい「境界のない世界」に生きる「Anywhere」な人々の文化のルーツは１９６０年代から70年代にかけてアメリカ西海岸を中心に展開されたヒッピーカルチャーにある。それは今日の情報産業が牽引するグローバル資本主義の源流を遡れば明らかだ。

60年代末の世界的な学生反乱とその挫折——アメリカのベトナム反戦運動、フランスの五月革命、そして日本の全共闘運動とその挫折——は、そしてその後の資本主義の勝利による（相対的に）安定した民主主義社会と豊かな消費社会の実現は、ベビーブーマー以降の世代のユースカルチャーのモードを政治的なアプローチ（革命）で「世界を変える」ことから、文化的なアプローチで世界の見え方を、つまり「内面を変える」ことに移行させた。

アメリカにおけるこの変化の中心地となった西海岸では革命という名の最後のフロンティアを失った代償として、様々なアプローチが試みられた。エコ思想、オリエンタリズム的な禅の受容、ニューエイジ的な精神世界への接近、ドラッグ・カルチャー——こうした試行錯誤のひとつがコンピューターの発展がもたらしたサイバースペースの追求だった。この時点で、コンピューターの作り出すあたらしい世界はあくまで人間の内面に変化をもたらすための虚構であり、世界を変えるために現実に作用するものではなかった。

　しかし20世紀末にこのモードに終わりが訪れる。冷戦終結によるグローバルな市場の拡大と、インターネットを中心とした情報技術の進化は、再び若者たちに世界を変える可能性を信じさせはじめたのだ。ただし、今度は政治的アプローチではなく経済的なアプローチで。

　そして21世紀の今日において、政治はローカルなものであるのに対し経済はグローバルな存在だ。バラク・オバマとスティーブ・ジョブズのどちらの名前が1世紀後の世界史の教科書に大きく印字されるか、もはや議論の余地はないはずだ。彼ら「Anywhere」な人々は、グローバル資本主義によって出現した「境界のない世界」に情報技術を用いて自由にコミットし、そして変えていけると信じているのだ。

　カウンターカルチャーの時代のヒッピーたちの育んだカリフォルニアのリベラルで反権威的な気風は90年代にパワーエリートたちの牽引したグローバル資本主義と結びつき、今日の若いビジネスマンたちに顕著な市場にイノベイティブな商品やサービスを投下することによる世界変革を志向する態度として受け継がれた。今日のシリコンバレーの文化を決定づけたこの傾向は「ヒッピーとヤッピーの野合」としてヨーロッパの社会学者たちに「カリフォルニアン・イデオロギー」［※9］と名付けられ批判を受けた。しかし今日においてはこのカリフォルニアン・イデオロギーこそがもっとも強い力で世界を変革してしまっている。今日においてカリフォルニアン・イデオロギーとは、シリコンバレーの起業家たちへの「悪口」

を超えてむしろ世界中に出現している「Anywhere」な人々の世界観を表現するのに相応しい言葉になっていると言えるだろう。そしていま、この思想に対するアレルギー反応が世界中で噴出しているのだ。

この「ヒッピーとヤッピーの野合」であるカリフォルニアン・イデオロギーを内面化した現代的なクリエイティブクラス、つまり「Anywhere」な人々は相対的にリベラルで多様性を擁護する傾向がある。「境界のない世界」に適応した人間にとって、「壁」は美学（ヒッピーの遺伝子）的にも経済（ヤッピーの遺伝子）的にも不要なものだからだ。そしてこれに反発する、没落した中産階級を中心とする「Somewhere」な人々は保守的で排他的な傾向をもつ。「境界のない世界」に適応できない人間は壁の再生を望むからだ。20世紀の左翼的な知性は、国民国家と資本主義をセットで批判することに集中していたが、もはや両者の支持層は大きく隔たりつつあるのだ。

その結果として世界はいま、まるでグローバル資本主義のプレイヤーであるあたらしい「境界のない世界」の「Anywhere」な住人たちと、ローカルな国民国家の市民として生きる旧い「境界のある」「Somewhere」な世界の住人に二分されているかのように見えている。だがそれは錯覚だ。実のところ既に境界は半ば（つまり経済のレベルでは）取り払われている。そしてだからこそ壁を求める人々が増殖している。不可避に拡大する「境界のない世界」に強く適応したのが「Anywhere」な人々であり、弱くしか適応できない人々は「Somewhere」な人々として見えているだけだ。21世紀の今日の世界で相対的に没落しつつあるのは戦後に形成された西側諸国の中流層たちだ。彼らの安定は旧第三世界からの搾取の産物であった。だが「境界のない世界」はこの構造を破壊しつつある。だからこそ彼ら（「Somewhere」な人々）は「壁を作れ」と訴えるトランプを支持し、「線を引き直す」ブレグジットを選択することで、あたらしい「境界のない世界」に対抗しようとしているのだ。

それはあたらしい「境界のない世界」の住人たち（「Anywhere」な人々）からすれば愚かな選択なのかもしれない。たとえば彼らはしたり顔でこう述べるだろう。「壁」を作ることで、ほんとうにラストベルトの自動車工たちの生活が上向くという保証はどこにもない。むしろあたらしい「境界のない世界」に開かれることではじめて現代における経済成長は可能となり、増えたパイを分け与える余地も生まれるのではないか、と。いま必要なのは、むしろあたらしい「境界のない世界」のもたらす圧倒的な成長とそれに対応したあたらしい再分配の仕組みなのだ、と。

だが、おそらくこのような彼らの「賢く」「正しい」言説は機能しない。それどころか、彼らのこの「語り口」こそが民主主義というゲームにおけるトランプ的なものの勝利を約束しているのだ。

ここで語られているのはあたらしい「境界のない世界」を生きる彼らが、旧い「境界のある世界」に取り残された人々に施しを与えるという筋書きだ。

このときあたらしい世界の「Anywhere」な住人たち（グローバルな資本主義のプレイヤー）は、無意識のうちにこう述べてしまっている。君たち「Somewhere」な人々（ローカルな民主主義のプレイヤー）はもはや世界に素手で触れることはできないのだ、と。世界に革新をもたらし、人類を前に進め、パイそのものを増やすことができるのは自分たちのあたらしいビジネスとテクノロジーであり、民主主義によって国家を操縦し、適切な再分配を求めることは（必要なことかもしれないが）副次的な問題に過ぎないのだ、と。あたらしい世界、「境界のない世界」に生きる自分たちはもはや民主主義のような旧い世界のシステムを必要としていないのだと。この主張が、民主主義というゲーム上で支持されることが果たしてあり得るだろうか？

そう、あたらしい「境界のない世界」の住人たちは、旧い「境界のある世界」の住人たちに、政治の、具体的には民主主義の場においては敗北する他ないのだ。なぜならば、あたらしい世界のアイデンティティは最初から政治を、民主主義を必要としていないからだ。現代の世界の構造上では、民主主義はこのあたらしい「境界のない世界」を原理的に肯定できないのだ。

ここにヒラリーとトランプの明暗を分けたものがある。トランプにラストベルトの自動車工の支持を集めたのは、むしろヒラリー（的なもの）の語り口が、あるいはあの日僕のFacebookのウォールに並んだ僕の友人たちの語り口が象徴する精神的な「壁」の存在なのだ。

もちろん、グローバル資本主義と情報技術が実現しつつある「境界のない世界」を、トランプとは正反対の思想から批判する立場もあり得るだろう。むしろ本書を手にする人のうち何割かは確実にこうした作法としての「左翼的な」態度を身につけているはずだ。しかし、「境界のない世界」の拡大を本書は前提として肯定する。実際にこのあたらしい世界の拡大は事実として格差と貧困をこの世界から大きく縮減している。そして世界からは貧困に、不衛生に、不十分な教育に苦しむ人々の絶対数も割合も急速に減っている。だとすると残された問題は、シリコンバレーの起業家とラストベルトの自動車工のあいだに再生産されつつあるあたらしい「壁」をどう乗り越えるのかという問題に他ならない。そしてこのあたらしい壁を乗り越える想像力の手掛かりをここでは考えてみたい。

あるいはピーター・ティールのようにもはや自由と民主主義は両立しない、という認識に立つ人々も実のところ少なくはないだろう。リベラルな気風を強くもつシリコンバレーの起業家たちの中にも少数派とはいえトランプを支持するプレイヤーが現れている。そしてティールはその代表者だ。ペイパル・マフィアの代表的人物としてシリコンバレーを牽引してきたティールのトランプへの接近についてはそのインパクトの大きさから様々な見解が述べられているが、その内容は概ね二通りに大別できる。ひとつは宇宙開発をはじめとする自身の起業家としての野心を実現するために政治への接近を必要としたティールが「逆張り」を行いこの危険な賭けに勝利したというもので、もうひとつはそもそもシリコンバレーのもつリバタリアニズムの遺伝子と保守主義の親和性を指摘するものだ。リバタリアニズムのルーツには国家からの独立と自助を美徳とする建国以来の「アメリカ的なもの」の精神が存在する。ティールらの掲げるサイバーリバタリアニズムとは、端的に述べれば情報技術によって国家からの完全な自立を志向する思想だが、アメリカとはこの（社会的な）反国家の精神こそが国家への（文化的な）回帰に結びつくという転倒したイデオロギーをその建国の理念として国民的なアイデンティティの基礎に置く社会なのだ［※10］。実際にかねてよりティールの文化的な保守性はたびたび指摘されており、そのトランプへの接近は必然的なものであると考えることができる。

またティールらの思想と活動は、加速主義と呼ばれる思想運動を生んでいる。「情報産業によって加速するグローバル資本主義（テクノキャピタリズム）の徹底による資本主義それ自体の超克」を訴えるこの運動はティールらの影響下にあるカルトの一派と目されており、トランプの支持層のひとつである新興の右派層（オルタナ右翼）に強い影響を与えている。リベラリズム、多文化主義など今日の民主主義社会のコンセンサスに対し懐疑的な態度を取る（ことで求心力を保つ）ことにその特徴があり、その結果としてデジタル・レーニン主義［※11］やネオ・ダーウィニズム的な優生思想などを評価する傾向をもつ。

かつてシリコンバレーを中心としたテクノキャピタリズムがヒッピーとヤッピーの野合（カリフォルニアン・イデオロギー）として批判されたことは前述した通りだが、こうしたカルトの台頭はサイバーリバタリアンとデジタル・レーニン主義の野合をもたらすのかもしれない。

「壁」としての民主主義

そしてこうした状況を俯瞰（ふかん）した上で、本書ではもう一度民主主義について考え直してみたい。たしかにあたらしい「境界のない世界」の住人たちが述べるように、この問題はあたらしい（境界のない）世界が拡大して、旧い（境界のある）世界を飲み込むことでしか解決しない。

しかし残念ながら、前述したように今日の民主主義においてこの立場が支持されることはあり得ない。

そう、問題を履き違えてはいけない。問題はなぜヒラリーはトランプに敗れたのか、なぜブレグジットは成立してしまったのか、ではない。民主主義というゲームは原理的にあたらしい「境界のない世界」を支持できない。ここに問題の本質がある。

あたらしい「境界のない世界」を受け入れた「Anywhere」な人々はついこう考えてしまう。旧い「境界のある世界」の「Somewhere」な住人たちを説得するべきだと。「壁」を作ることも、EUから離脱することも、あなたたちの生活を救済することには必ずしもつながらない、むしろ逆効果をもたらすことすら考えられるのだ、と。しかしおそらくこの言葉は届かない。なぜならば、これは問題の本質を履き違えた言葉だからだ。賢く、意識の高いあたらしい「境界のない世界」の「Anywhere」な住人たちは、トランプの嘘を暴けば旧い「境界のある世界」の「Somewhere」な住人たちは、自分たちの側につくと考えがちだ。しかし問題の本質は別にある。トランプのアジテーションに嘘と誇張が多いことなど、実のところ誰にでも分かることだ。問題の本質は、にもかかわらず多くの人々が彼を支持していることなのだ。むしろ、こう考えたほうがいいだろう。彼らはトランプのアジテーションを

「信じたい」のだ。彼らはトランプが真実を語るから支持しているのではなく、魅力的な嘘を語るからこそ支持しているのだ。

彼らは信じているのではなく、信じたいのだ。フェイクニュースをロクに検証もせずに拡散する知人に対して説得を試みるとき、論理的にその矛盾を指摘し、証拠を挙げてそれが虚偽であると説明することは効果を上げない場合が多い。大抵の場合、彼らはかたくなにそれが虚偽であることを認めようとしない。仮に認めたとしてもこう反論する。「たしかにこの情報は解釈によっては間違っているかもしれない。しかし（たとえ虚偽であったとしても）この立場の意見を拡散することは社会にとって意味があることではないか」と。あるいは「この情報は間違っているかもしれないが、真面目にこの意見を拡散している自分の気持ちを否定しないでほしい」と。

誤解しないでほしいが、僕はフェイクニュースの検証や、陰謀論と歴史修正主義の批判が不必要だと述べているのではない。前提としてその努力は不可欠だ。しかしそれだけでは足りないことを指摘しているのだ。フェイクニュースに騙されないように、フィルターバブルに陥らないように、メディアリテラシーを粘り強く啓蒙すべきである。僕も他の仕事ではこうした運動を微力ながら支援してもいる。しかし、それだけでは補えないものがある。フェイクニュースを人々が信じるのは、それが正確な情報だと判断するからではなく、それを信じたいからだ。フィルターバブルに安住するのは、それに気づかないからではなくそれが心地よいからだ。ほんとうに問題とすべきは、フェイクニュースの偽りとフィルターバブルの陥穽（かんせい）（だけ）ではない。むしろそれを望んでしまう欲望のほうなのだ。だから僕たちがアプローチしなければいけないのは、彼らの「信じたい」欲望のメカニズムなのだ。

あたらしい（境界のない）世界を生きる「Anywhere」な人々と旧い（境界のある）世界を生きる「Somewhere」な人々とを決定的に分断しているものはなんだろうか。収入の多寡、教育程度、携わる産業の新旧――どれも正しいが、本質的ではない。彼我（ひが）を隔てるものでもっとも決定的なもの。それは、世界に素手で触れているという感覚だ。

ローカルな国家よりも、グローバルな市場が上位にある今日において、このあたらしい（境界のない）世界に対応した「Anywhere」な人々――比喩的に述べればシリコンバレーの起業家たち――は世界に素手で触れている感覚とともに生きている。自分たちの仕事が、市場を通じて世界を変える可能性を信じて生きることができる。

対して、旧い（境界のある）世界の「Somewhere」な人々はどうだろうか。20世紀的な工業社会を生きる労働者階級が、グローバルな市場のプレイヤーであるという自覚をもつことは、世界に素手で触れている感覚をもつことは難しい。資本主義下における個人の経済的な価値とは、正確にはその人の社会的な評価に応じて金融機関や投資家から調達できる（借金できる）額のことに他ならないが、旧い世界を生きる労働者たちは雇用主からの報酬以外に資金調達の手段を知らない（国内で言えば、住宅ローンを組むときだけ、彼らは資本主義の本質に触れることになる）。その意味で彼らは資本主義を生きてすらいないのだ。

もしかしたらこう思う読者がいるかもしれない。世界に素手で触れることなんて、そもそも幻想ではないかと。もちろん、その通りだ。その指摘は正しいが、同時にこの議論の前提を理解していないことを証明してしまっている。僕は最初から幻想の話をしているのだ。あくまで人間が生きるためにいかなる幻想を必要としてしまうのかという話をしているのだ。

ある時期までは、（そして人類社会のある部分ではこうしているいまも）確実に人間が世界に素手で触れているという実感を得るために機能していた最大の幻想こそが僕らの民主主義だ。かのウィンストン・チャーチルはこう述べた。「実際のところ、民主主義は最悪の政治形態と言うことができる。これまでに試みられてきた民主主義以外のあらゆる政治形態を除けば、だが」と──チャーチルはここで、おそらくは機能面から民主主義を（アイロニカルに）肯定したはずだ。だが民主主義はむしろ、人々の心の拠り所として必要だったのだ。世界に素手で触れているという実感を与えるために、必要だったのだ。

ついこのあいだまで、今日のグローバルな経済とローカルな政治という関係がまだ成立せず、インターナショナルな政治にローカルな経済が従属していた時代まで、世界に素手で触れているという実感はむしろ政治的なアプローチの専売特許だった。だからこそ、20世紀の若者たちは革命に、反戦運動に、あるいはナショナリズムに夢中になったのだ。民主主義とは、このあいだ少なくともこれまで試みられてきたあらゆる制度よりも確実に、誰にでも世界に素手で触れられる実感を与えてくれるものだった。そして、少なくとも世界の半分ではこうしているいまもそうあり続けてしまっている。この1票で、世界が変わると信じられること。僕の考えでは民主主義の最大の価値はここにある。だが、皮肉なことだがこの強力な機能のために、いま、民主主義は巨大な暗礁に乗り上げてしまっているのだ。

20世紀的なインターナショナルな政治とローカルな経済の関係が、21世紀的なグローバルな経済とローカルな政治に逆転したときに、政治をコントロールする民主主義は世界を素手で触れることのできない人々の拠り所になっていったのだ。20世紀的な旧い（境界のある）世界に取り残されていると感じている大半の「Somewhere」な人々にとって、グローバルな市場を通じて世界に素手で触れることはとても難しい。しかし、この1票を投じてローカルな政治を変えられると信じることはできる。そして、そうすることで――それが世界に素手で触れることだと信じることで――まだ経済ではなく政治が、市場ではなく国家が世界の頂点だった旧い世界が終わりを告げていないことを信じることができる。

かくして、民主主義のグローバル資本主義に対する抵抗としてトランプは当選し、ブレグジットは成立した。おそらくドナルド・トランプは他の誰よりも、自分がどのような力に支えられている存在かを理解していたのだ。だからこそ、彼はフェイクニュースを駆使し、人々が陥るフィルターバブルを活用したのだ。

嫌な話をしたいと思う。２０１6年の11月8日から9日にかけて、僕のFacebookのウォールでトランプの当選を嘆いてみせたグローバルな市場のプレイヤーたちと、こうしているいまもTwitterのタイムラインに溢れかえっているヘイトスピーカーや、歴史修正主義者たちで、投票行為に積極的なのはどちらだろうか。答えは書くまでもないだろう。いま、民主主義にコミットするインセンティブがあるのは主に時代に取り残された「Somewhere」な人々であり、より排外的でナショナリスティックな人であるほど、その動機は強くなってしまうのだ。

かつて村上春樹はこう述べていた。

〈僕が今、一番恐ろしいと思うのは特定の主義主張による『精神的な囲い込み』のようなものです。多くの人は枠組みが必要で、それがなくなってしまうと耐えられない。（中略）い

ろんな檻というか囲い込みがあって、そこに入ってしまうと下手すると抜けられなくなる〉［※12］

この「囲い込み」を人間が必要としてしまうのはなぜか。それはいま多くの人々が世界との蝶番(ちょうつがい)を失い、世界に素手で触れる感覚を失ってしまっているからだ。そのため世界を「囲い込み」で限定し、自分の手が届くものにダウンサイズしようとしているのだ。

僕は本章の冒頭で、なぜサンダースではなく、トランプなのかと問題提起した。そしてその答えは明白だ。それはサンダースよりもトランプが、人々に強い「囲い込み」を与え、そのことで世界に素手で触れている感覚を与えているからだ。トランプが「壁を作れ」と述べその手段として排外主義的なナショナリズムを選択しているから「こそ」なのだ。それも、僕らの民主主義を用いて。インターネット時代の民主主義こそがいま、世界を否定の言葉で埋め尽くし、そして分断しようとしているのだ。

ここでふたつの問題は重なり合う。2020年の東京オリンピック／パラリンピックが象徴する平成という「失敗したプロジェクト」と、2016年のトランプ／ブレグジットが代表するグローバル資本主義に対するアレルギー反応の勝利は、ともに情報社会下の民主主義の機能不全に起因する。今日の世界において残念ながら民主主義という名の宗教は、人々に世界に素手で触れているという実感を与える装置は、新旧の世界の分断を加速する装置にしかなっていない。この現実を受け入れた上で、どうこの暗礁から脱出するのか。それがいま問われていることなのだ。

こうして民主主義は、ポピュリズムというかたちで平成という「失敗したプロジェクト」を演出し、そしてトランプに支持を与えた。これが「目に見えない壁」の正体だ。そして民主主義以外の政治形態の選択肢を事実上もたない僕たちの社会は、いま、暗礁に乗り上げている。

誤解しないでほしいが僕は、日本やアメリカ、EU諸国の暗礁に乗り上げた民主主義が中国などの開発独裁的な制度に対し劣っていると述べているのではない。前提として、それでも民主主義はもっとも相対的にリスクの低い政治制度だ。しかし、今日においては、その相対的な優位の程度は下方修正する必要があることを認識した上で民主主義を改良する必要がある。これまで、7回コールドで圧勝することを前提に考えることのできたゲームは、9回裏までの継投を視野に入れなければならなくなっているのだ。

僕たちはいま、自分たちが生み出した民主主義というシステムによって報復されようとしているのだ。僕たちは既に国家よりも市場が、政治よりも経済が広範囲に、不可逆に、決定的に人々の生を支配するあたらしい世界に生きている。しかし、僕らは民主主義という政治的なアプローチを超える意思決定のシステムをもっていない。

それは言い換えれば、僕たちはどのようにして世界に素手で触れるべきなのかという問いが再浮上していることを意味する。いや、この問いは厳密な記述ではないだろう。僕たちはどのようにして世界に素手で触れるという幻想を機能させるべきなのか、それも現代の情報環境と世界経済を前提にどう再構築されるべきなのだろうか、という問いに直面しているのだ。

民主主義を半分諦めることで、守る

では、どうするのか。「民主主義を半分諦めることで、守る」というのが僕の解答だ。民主主義はインターネットはおろか、放送技術が生まれる前に発案されたものだ。インターネットポピュリズムに少なくとも既存の民主主義は耐えられない。この現実を、僕たちは受け止めるべきだ。

もはや民主主義は自由と平等の味方ではない。これは歴史を振り返ればそれほど珍しい現象ではない。ナチスを民主主義が産み落としたように、民主主義は常に民意の暴走が自分たちの自由と平等を脅かすリスクと隣合わせの制度だ。だが戦後の西側諸国の半世紀に亘る安定期は、人類にそのことを忘却させてしまったように思える。この時期の西側諸国の政治的、経済的安定は端的に冷戦下のパクス・アメリカーナの産物としての側面が大きい。それはマーシャル・プランの成果であり、民主主義の勝利ではない。この現実を人類はまず受け止めるべきだろう。そして冷戦終結から30年を経つつある今日のグローバル化した世界下における民主主義は情報技術に支援されこれからその本来の顔を取り戻すことになる。いや、既に取り戻していると言える。これからはほとんどの場面で、民主主義は自由と平等の最大の敵として立ちふさがることになる。今日において僕たちは軍国主義や共産主義と同程度（よりはやや低い程度）に、民主主義の暴走によって自由と平等がトップダウンではなくボトムアップで抑圧されるリスクを管理していかなければいけない。だがいま述べたようにそれでも、他制度よりは相対的に民主主義はまだ暴走のリスクが低い。だからこそ「熟議を重視するべきだ」といった類の事実上無内容な精神論ではない、暴走リスクを減らすためのあたらしい知恵が必要なのだ。

もちろん前提として、究極的な結論としてはあたらしい「境界のない世界」が拡大し、旧い「境界のある世界」を飲み込むしかない。そうすることで、「Somewhere」な人々を「Anywhere」な人々に徐々に変化させていくしかない。しかし現時点では世界のどこでも働ける「Anywhere」な人々は一握りの成功者だ。したがって彼らのような自由を中流以下の人々が獲得できるようにするしかない。そうすることで、「Somewhere」な人々が承認欲求のはけ口として政治を利用するインセンティブを下げるしかない。だが、そうなるには（特にこの日本では）途方もない時間がかかるだろう。その途方もない時間を1年でも、1ヶ月でも縮める努力は最大限に行うことを前提とした上で僕たちは民主主義を（半分諦めることで）守り、そしてそのことで民主主義「から」自由と平等を守る他ないのだ。

民主主義と立憲主義のパワーバランスを是正する

そこで本書では三つの提案を処方箋として示したい。そのうちふたつは、既に議論されているものを紹介する。本題は最後のひとつ、つまり三つ目の提案だ。

まず第一の提案は民主主義と立憲主義のパワーバランスを、後者に傾けることだ。

立憲主義とは統治権力を憲法によって制御するという思想で、そのために民主主義としばしば対立関係に陥る。なぜならばたとえそれがどれほど民主的に設定されたものであったとしても、過去に定められた憲法を現在の民意が支持するとは限らないからだ。したがってあらゆる民主主義は憲法改正の手続きを憲法自体に組み込むことになる。言い換えればそれが民主的な憲法の条件で、ここで民主主義と立憲主義のパワーバランスが設定されることになる。そしてポピュリズムによる民主主義の暴走リスクを高く見積もらざるを得ない今日においては、このパワーバランスを立憲主義側に傾ける必要がある。もはや僕たちは民主主義で決定できる範囲をもっと狭くするべきなのだ。これから民主主義は、もたざる者の負の感情の発散装置になるしかないことを前提として、運用するしかない。民主主義を守るために、その決定権を狭めること。これしかない。これからは基本的人権など民主主義の根幹に関わる部分は立憲主義的な立場を強化することで、（奇妙な表現になるが）民主主義の暴走から守る他ないのだ。

たとえばこの日本では三権のうち司法の相対的な弱さが指摘されている。違憲立法審査権は有名無実化しており、法律に対してもその他の命令や規則に対しても最高裁判所が違憲判決を下すことは驚くほど少ない。その背景には最高裁判所の人事権を内閣が握るという不十分な三権分立の問題がある。またそもそも最高裁判所が一般事件の上告を処理することを重視した制度設計になっていることも問題だ。日本の最高裁判所は、47都道府県すべての地域をカバーし、民事、刑事を問わずすべての事件を担当するために事実上各高等裁判所からの上告の処理にそのリソースはほぼすべて宛てがわれることになる。また日本ではアメリカ・イギリス等と同様に付随的審査制と呼ばれる制度が採用されている。これは何らかの事件に対する裁判の判決に内包するかたちで違憲審査を行う制度で、個人の権利保護に力点を置いたものだ。しかし、民主主義によって支持を受けた時の政権による立憲主義の有名無実化のリスクを軽減するためには、ドイツやイタリア等が採用する抽象的違憲審査制に現状の制度を近づけることが効果的だ。これによって憲法裁判所を設置し、法律や命令が合憲か否かを直接問うことが可能になる。これはあくまで一案だが、こうした司法の独立と強化による立憲主義の強化へ舵を切ることが必要となるだろう［※13］。

だが仮にこうした民主主義と立憲主義のパワーバランスの調整が実現したとしても、それが対症療法的なものでしかないことは忘れてはならない。繰り返すがこれから民主主義による国民国家のコントロールは基本的に自由と平等に背を向ける傾向を強めていく。生存権や表現の自由、男女平等といった基本的な人権については国際連合をはじめとする超国家的な枠組みの権限を強化すること、あるいはグローバルな市場の強力なプレイヤーたちが個人の自由な経済活動を要求する立場から国民国家の暴走を牽制することがより重要になる。今日

において は、内部と外部からローカルな国民国家の民主主義の決定権を抑制することが必要なのだ。

「政治」を「日常」に取り戻す

民主主義を半分諦めることで、守る。その第二の提案は情報技術を用いてあたらしい政治参加の回路を構築することだ。

情報技術による政治のアップデートというと、一昔前はインターネットを用いた直接民主制のことを示していた。そしてその背景にソーシャルメディアを用いた社会運動の世界的な盛り上がりがあった。世界的にはアラブの春、日本的には反原発デモがこれに当たる。しかしどちらも無残な結果に終わったことは記憶にあたらしい。アラブの春は結果的に当該国の政情の不安定化とその帰結としてのＩＳに代表されるカルト勢力の台頭をもたらしたし、反原発デモは既存の左翼勢力に小規模かつ一時的な復権を与えただけだった。

そして２０１６年の「敗北」を経た今日においてはそれどころか、フェイクニュースや陰謀論がソーシャルメディアでは定着してしまい、むしろ民主主義の破壊者と見なされている。

では、どうするのか。解答は民主主義の「回路」をあたらしく作ることだ。

本書を手に取る大半の人々が、民主主義といえば選挙による代表者の選出や国民投票による意思決定のことを思い浮かべるだろう。あるいはデモを中心とした社会運動のことを想起するはずだ。だが民主主義の回路とはほんとうにこのふたつだけなのだろうか。

東日本大震災後にいよいよ明らかになったのは、この国の民主主義は使い物にならない、ということだ。市民運動には旧態依然とした左翼の文化が残り続け「意識の高すぎる市民」たちの自分探しの域を出ず、選挙は相変わらず「意識の低すぎる大衆」たちを対象にしたどぶ板選挙が支配戦略として定着している。しかし、インターネットと民主主義はここにあたらしい政治参加への回路を構築する可能性を秘めている。

そもそも人間とはすべての選択を自己決定できる能動的な主体＝市民でもなければ、すべてを運命に流されていく受動的な主体＝大衆でもなく、常にその中間をさまよっている。

言い換えれば、20世紀的な想像力の限界はここにあったのだ。20世紀は「映像の世紀」だと呼ばれているが、この「映像」という制度は現代から考えると旧い人間観に立脚したものだと言える。

たとえば「映画」はとても能動的な観客を想定したメディアだ。対してテレビはとても受動的な視聴者を想定したメディアである。これは先ほどの比喩に当てはめるのなら映画は市民、テレビは大衆を対象にしたメディアだと言える。

しかしインターネットは違う。インターネットはユーザーの使用法で映画よりも能動的にコミットする（自分で発信する）こともできれば、テレビよりも受動的にコミットする（通知だけを受け取る）こともできる。もちろん、その中間のコミットも可能だ。

インターネットは、はじめて人間そのもの、常に「市民」と「大衆」の中間をさまよい続ける「人間」という存在に適応したメディアだと言える。にもかかわらず、２０１０年代の人類はインターネットを「大衆」を動員するために用いた。ここに過ちがあったのだ。

同じことが、たとえば政治制度にも言える。多くの民主国家では現在、二院制が敷かれている。上院と下院、参議院と衆議院。これは要するに「市民」を対象とした熟議と「大衆」を対象としたポピュリズムでバランスを取る、という発想だ。

ここから分かるのは、20世紀までの人類は技術的に人間の、極端なふたつの側面、つまり「市民」か「大衆」かを想定した制度しか作ることができなかった、ということだ。そして技術的限界から「仕方なく」その両者を並置させてバランスを取っていたのだ。しかしインターネットは、いやインターネットを下支えする情報技術の発達はこの二項対立を崩す可能性を秘めている。しかし、人類はその用い方をこの四半世紀のあいだ間違え続けたのだ。

たとえば、団塊ジュニア世代を中心としたこの国のインターネットのオピニオン・リーダーたちは東日本大震災後に第二のテレビとして、ポピュリズムの器としてインターネット（具体的にはTwitter）を用いようとした結果、敗北していった。ボトムアップのインターネットポピュリズムはトップダウンのテレビポピュリズムを緩和するどころか下支えする。それは今日の日本社会を観察すれば一目瞭然だ。

あるいは、震災直後に「国会をインターネット生中継して視聴者からのコメントを可視化すれば民主主義が発達する」という主張が少しだけ話題になったが、それがまったく実効性を欠いた机上の空論に過ぎなかったことはもはや明白だ。これは熟議＝国会と、ポピュリズム＝インターネット生中継とのあいだでバランスを取る、という発想に基づいたものだが、残念ながらこれでは20世紀以前の社会観から何も発展していない。熟議とポピュリズム、市民と大衆、ストックとフローでバランスを取る、という発想自体が過去のものであり、この発想から逃れられない限り人間は情報技術を使いこなせないのだ。いま必要なものはその中間のものへのアクセスであり、今日の情報技術の真価はそこにこそある。

したがってこのとき情報技術を用いる対象は「市民」であっても「大衆」であってもならない。必要なのは市民を動員してデモに連れ出すことでも、大衆を動員して選挙に連れ出すことでもない。人間を（意識の高すぎる）市民化すること、あるいは（意識の低すぎる）大衆化することもなく、人間本来の姿のまま政治参加を促す回路だ。

市民が街頭のデモに参加するとき、あるいは大衆が投票所に足を運びテレビの開票速報を見守るとき、彼ら彼女らは非日常的な体験の中にいる。普段の労働や学習を中心とした日常の生活から切断された非日常に動員されている。そしてそのことで、人間本来の姿を失い（意識の高すぎる）市民／（意識の低すぎる）大衆に加工されてしまっている。街頭のデモに参加し、シュプレヒコールを叫ぶ「市民」たちは、このときたしかに世界に素手で触れている感覚を得ている。それはデモに「動員」されて、等身大の自分を一時的に忘却して、イデオロギーと自己同一化することで得られる幻想だ。あるいは選挙という祝祭をテレビショーとして消費する「大衆」たちもまた、この瞬間は世界に素手で触れていると錯覚することができるだろう。ついでにお気に入りのコメンテーターの話したことをコピー・アンド・ペーストしてTwitterに投稿して何かを主張した気になれば完璧だ。いずれにせよ彼ら彼女らはこのとき非日常に「動員」されている。デモは意識の高すぎる「市民」を、選挙は低すぎる「大衆」を非日常に「動員」するシステムなのだ。

民主主義をデモ／選挙といった非日常への動員から解放する。そのことによって、ポピュリズムの影響力を相対的に下げる。いまや自由と平等の敵となりつつある民主主義の暴走リスクを下げることが、必要なのだ。

では、どうするべきか。処方箋はふたつある。ひとつ目は自民党や公明党や共産党といった55年体制下から続く既存政党の組織票にメディアを用いたポピュリズムで対抗する、という発想それ自体に限界があったことを認めることだ。歴史の教える通り、ポピュリズムはその定義上無党派の浮動票に対するアピールでしかない。そのため、強固な組織票をもつ勢力に長期的には敗北してしまう。ならば、「こちら」も組織票をもてばよい。

そのためにまず個人と国家の中間に、家族でも地域社会でもましてや戦後的企業のムラ社会でもない、現代的な連帯のモデルを実現する。もちろん、いまさら「インターネットを通じた町おこしで地域共同体を再生」といった類の与太話をここに書き連ねようとは考えていない。

平成の改革勢力の本来の支持基盤は、都市部の比較的若いホワイトカラー層であった。しかし、彼らは同時に特定の支持政党をもたない無党派層でもあり、その多様なワーク／ライフスタイルから組織化も難しいと言われていた。そのため、平成の改革勢力たちはテレビポピュリズムに依存し、その動員対象を必要以上に拡大せざるを得なかったのだ、と。

しかし、今日ではどうだろうか。55年体制の終焉から30年を経たいま、この前提は大きく変化している。正社員の夫と、専業主婦の妻とその子供からなる家庭が郊外の持ち家に住む、というスタイルは若い現役世代では過去のものになりつつある。多様化したワークスタイルをもつ共働きの家庭が（それゆえに）都心の賃貸に住み子育てに勤しむ。新聞／テレビではなくインターネットを情報源にし、駅前のデパートよりもAmazonと楽天で買い物をする。彼らは明らかに「生活」の次元で昭和の日本人たちとは異なる世界に生きている。彼らは、戦後的な社会装置と文化から逸脱した存在だ。労働組合から医師会や農協といった戦後政治を支えた団体組織から、彼らは組織的にもそしてそもそものワーク／ライフスタイル的にも逸脱している。たとえば今日においては平成の改革勢力の流れを継承する人々がこれらのあたらしい日本人たちの組織化を精力的に行ってその支持基盤を固めることも不可能ではないはずだ。そして、一見ばらばらの彼らをつなぐ道具として、地域コミュニティからテーマコミュニティへと中間的な共同体の性質が移動せざるを得ないこの時代における連帯のための道具として、はじめてインターネットは希望になり得るはずだ。これまでのやり方ではつなげなかったものたちをつなげるのが本来のインターネット、なのだから。

インターネットはいま、肥大したソーシャルネットワークから離脱したつながりを求めつつある。良質な情報はサブスクリプションの有料サービスに、信頼性の高いコミュニティはオンラインサロンに閉じる動きが活発だ。これを本来のインターネットの精神に対する反動だと断じることもできるかもしれない。インターネットとは、世界中のどこからでもアクセスできるその開放性こそに本質の一端があったことは間違いないからだ。だが、逆にこう考えることもできる。インターネットが人間の吐き出した言葉と言葉をつなげるというのは、あくまで技術的な制約がもたらした初期の現象であり、そのもっとも本質的な役割は血縁や地縁や職業集団を超えて人間関係を結び直すことにある、と。インターネットは適度に閉じることを覚えたいま、むしろ本来の顔を取り戻しつつあるのかもしれない。こうしたコミュニティの再編は言論の流通による世論形成よりもより深いレベルで政治を変えるポテンシャルを秘めている。

そしてふたつ目はこうして生まれたあたらしい日本人たちの団体によるロビイングや陳情を中心とした政治活動だ。そもそも、戦後日本の政治は「意識の低すぎる」選挙と、「意識の高すぎる」デモとが両方空回りすることで暗礁に乗り上げてきた。そして良くも悪くも、機能していたのがこうした団体による個別のコミュニケーションだったはずだ。ときに談合と縁故資本主義の温床となりがちなこうしたコミュニケーションをフェアでオープンなゲームに改革すること。その上で、あたらしい日本人たちの要求を、彼らの団体がこのゲームの上で実現させてゆくこと。この選挙とデモの中間に、社会を変える手掛かりがある。

その具体的な手段としてここでは情報技術を用いたあたらしい政治参加の回路の構築を提案したい。国内において広く認知されているとは言い難いが、２０１１年前後の失敗を踏まえた上で活動している市民運動や社会起業家の試みが内外に拡大している。そしてこれらの共通点は選挙という非日常的なお祭りではなく、日常の生活の中に政治参加への回路を設定するという発想だ。

その代表例がクラウドローだ。近年、市民が情報技術を活用して社会の課題を解決するシビックテック（civic、つまり市民とtech、つまりテクノロジーをかけ合わせた造語）と呼ばれる運動が現れている。クラウドローはその手段のひとつで、インターネットによって市民が法律や条例などの公的なルールの設定に参加するサービス群のことをさす。

たとえば台湾では「vTaiwan」というプラットフォームが注目を浴びている。これはオンラインとオフラインにまたがる官民連携のルール形成を目的としたプラットフォームだ。台湾は少なくともアジアにおいては、もっとも意欲的に民主主義の情報技術によるアップデートに取り組んできた（事実上の）国家だ。2010年代前半のインターネットの普及を背景にした市民運動の世界的な同時多発は、台湾を舞台にも展開している。当時の台湾政府は2008年に馬英九が総統となり国民党が政権復帰すると中国との政治的、経済的接近に舵を切り独立派の市民からの反発を呼んでいた。そして2014年、中台間でのサービス業開放によって経済統合を進める「サービス貿易協定」が強行採決されると学生たちが立法院（台湾の国会）に突入した。市民の強い支持を背景に占拠は24日間にも及び、馬英九政権は協定内容の大幅見直しを余儀なくされた。このとき議場に飾られたひまわりの花から「ひまわり革命」と呼ばれているこの運動は、思わぬ副産物を産み落としている。それが「vTaiwan」だ。馬英九政権は市民運動の中核となった学生勢力との対話のチャンネルを模索し、それに台湾市民のテックコミュニティ（g0v（ガブゼロ））が応えるかたちで「vTaiwan」は生まれた［※14］。

現在（2019年12月）の蔡英文が率いる民進党政権は、著名なプログラマーであり、オープンガバメントの推進運動などを通して社会運動家としても知られる唐鳳を弱冠35歳の若さにもかかわらずデジタル総括政務委員に就任させた。シビックテックの推進は「ひまわり革命」から蔡英文政権の成立へと至る台湾のあたらしい民主主義のひとつの象徴なのだ。こうした背景のもと、このvTaiwanを用いて、台湾ではライドシェアサービス（ウーバー）の参入と既存のタクシー業者との調整や、リベンジポルノに対する罰則の規定、市街地におけるドローン活用を推進するための適切な規制などが市民間の協議によって提案され、行政に採用されている。

vTaiwanには様々なオープンソースが用いられているが、そのうちのひとつ「ポリス」は、ユーザーが自由に意見を述べることができるその一方で、あるユーザーが他のユーザーの意見にコメントをつけることはできない。あくまで賛成／反対の票を投じることができるだけだ。そして議論が進行すると参加したユーザー全員の意見がオピニオンマップとして表示される。そこで、問題の対立点がどこにあるのかが可視化される。こうして感情的な論争や議論の錯綜を回避し専門家の意見が集約され具体的な提案が作成されていく。ここにはボトムアップの意思決定は存在するが、多数決の生むポピュリズムは存在しない。

このvTaiwanにおけるルールメイキングで要求されるのは、それぞれの課題に関係する分野での高い専門性だ。もちろんここで扱われている課題について意見を述べることは誰でもできる。しかし、行政の担当部署と同等か、多くの場合それ以上の専門的な知見がなければ実用的なルールメイキングは不可能だ。vTaiwanに参加しているのは主に現地のシビックテックの団体のメンバーだが、彼ら彼女らはそれぞれの職業で培われた専門性を発揮し、適切なルールを策定し行政に提案を行っている。

こうしてルールメイキングに関わるメンバーがその生業で得られた知見を活かし、公的なルールメイキングに関与していることがvTaiwanを考える上で重要なポイントだ。

前述したように既存の民主主義は人間を公的な存在（市民）と捉えるか、私的な存在（大衆）として捉えるかしかできていない。

だが実際に人間はその社会生活のほとんどを働くことで、市場のプレイヤーとして生きている。しかし既存の民主主義ではその人間の社会生活の大部分を占める職業人として政治に関与することは（代議士、行政府の職員、ジャーナリストといった政治そのものを仕事にする人々を除けば）できない。しかし現在の情報技術はそれを限定的なかたちでありながらも可能にしはじめているのだ。これらのクラウドローにおいて、人間は「市民」でも「大衆」でもなく、その中間体、具体的には職業人としてその専門的な知見を活かし政治に関与するのだ。

たとえばあるインターネットビジネスを手掛ける企業に勤める人物を想定しよう。この人物はこれまで多くのシェアリングエコノミーのサービス、とりわけクラウドソーシングサービスに深く関わり、多くの知見をもっている。そんな彼／彼女がクラウドローでライドシェアの国内導入について、適切な規制を定めるルールメイキングに参加する。このとき彼／彼女の日常の延長線上に政治は存在する。

市民／大衆を非日常（化された政治）に動員することで成立する今日の民主主義に対し、シビックテックの試みはあくまで日常に留まったまま個人と政治を接続する。そしてこうしたあたらしい回路を導入し、その決定力を保証することで非日常への動員＝ポピュリズムの暴走リスクが高まらざるを得ない既存の民主主義の決定力を相対的に低下させることができる。非日常に動員された市民／大衆のポピュリズムから、日常を生きる職業人の手に政治を取り戻すのだ。

もちろん第一の提案がそうであるようにこの提案も万能薬ではない（そんなものは当然どこにも存在しない）。たとえばvTaiwanをはじめとするクラウドローの多くが直面しているのが、その法的な根拠の薄弱さだ。これらのサービスは産声を上げたばかりの回路であるがゆえに、既存の法体系にどのように組み込まれるべきかの議論もはじまったばかりだ。vTaiwanの場合、そこで策定された提案は行政に対して一切の法的な強制力はもたない。現状vTaiwanが影響力を行使しているのは、蔡英文政権の進める行政の情報化の一環として、ライドシェアやドローンといった情報技術に強く関係し、かつ専門性の高い課題についてはシビックテックを活用しルールメイキングを試みるという方針が取られているからに過ぎない。

vTaiwan以外にもDecide Madrid（スペイン）、Better Reykjavík（アイスランド）などがクラウドローの成功例として知られている。そしてこれら世界中で勃興しつつあるクラウドローでは労働、教育、社会保障など、より広範な課題に対するルールメイキングが期待されている。そして関与のステージも狭義のルールメイキング（条例や法律の素案作成）のみならず前調査から政策評価まで多岐に及ぶことが期待されている。こうしたクラウドロー的なルールメイキングを民主主義の意思決定のシステムに法的にどのように埋め込むのかが今後問われることになるだろう。

またクラウドローの開放性と規模の問題についても留意が必要だろう。たとえば台湾では、シビックテックによるvTaiwanと並行して政府の主導するJoinと呼ばれるサービスが運営されている。これは市民がオンライン上で陳情を実施し、討論するためのプラットフォームだ。

このvTaiwanとJoinはどこが違うのか。ひとつは前述した通りそれが民間のものか政府のものか、運営主体の違いだ。そしてもうひとつはその規模だ。２０１８年の段階でvTaiwanの参加者は20万人であり、Joinの参加者は５００万人だ。台湾の人口は約２３００万人なので、Joinの規模の大きさが分かるだろう。しかしクラウドローにおいてコミュニティの規模はメンバーの専門性とトレードオフの関係にある。Joinのアドバンテージは、参加者の専門性の低さが結果的により広範な市民生活の課題（病院、公園などの整備、犯罪防止の取り組み）を取り上げることを可能にしていること、vTaiwanと同じようにその提案に法的な強制力こそないものの、官製のサービスでありかつ数千人規模の陳情の実現が容易であるために政府への圧力が働き易いことが挙げられる。だがその反面Joinではvtaiwanのように高度に専門的な議論とルールメイキングは難しい。そしてメンバーの専門性の低さは人間の「働く」という日常の回路と政治を接続するクラウドローのアドバンテージを自ら放棄し、インターネットポピュリズムの一形態に接近してしまっていることが挙げられる。

いずれにせよ、重要なのはもはや民主主義が自由と平等に資する可能性が極めて低くなったいま、ポピュリズムのリスクを相対的に低減できる意思決定の回路を導入することだ。もちろんそれはトップダウンのデジタル・レーニン主義ではなくボトムアップのものでなければならない。そのためには非日常から日常へ、市民／大衆の動員から職業人の参加へと民主主義の重心を移動させる必要がある。シビックテックによるクラウドローは、このような背景から誕生したひとつの暫定解である。

インターネットの問題はインターネットで

さて、このふたつの提案が十分に実現されていない現在において民主主義という回路を通じて、世の中が肯定的に変化すると信じることは難しい。もちろん、少しでもマシな状況に加担するために、僕も投票には行くだろう。場合によっては支持者や支持政党の応援のために筆を執るかもしれない。しかし、その一方で、僕たちはいよいよ「民主主義を半分諦めることで、守る」段階を迎えたことを受け入れるべきなのだ。そしてポピュリズムという誘惑を捨てることを主張する僕は、もはや民主主義は暗礁に乗り上げたシステムであるのだというニヒリズムも一緒に捨てている。これは、そのための本でもある。そしてそのためにこそもう一度インターネットの問題について考えてみたい。インターネットは平成の最大の希望であり、そして最大の失望だった。だからこそ、平成という「失われた30年」を超えるために、その轍を踏まないためにこそ、僕たちはインターネットの問題を正面から捉え直す他ないのだ。ここを、避けては通れない。

そして第三の提案はメディアによる介入で僕たち人間と情報との関係を変えていくことだ。端的に述べれば「よいメディア」を作ることだ。そしてこのあたらしいメディアにはいまこそインターネットを用いるべきだと考えている。きっと多くの読者が（最後まで読むこともなく）この結論をあざ笑うだろう。いまさらインターネット？　なぜ、いまインターネット？　インターネットへの過大評価こそが、今日の暗礁に乗り上げた民主主義を生んだのではないか？　もちろん、まったくもってそう思う。実際にこの本のここまでを注意深く読み返してもらえれば、その前提は当然共有されていることはよく分かるはずだ。そしてこうした批判は織り込んだ上で、僕はそれでもインターネットを用いたアプローチが必要だと述べているのだ。

書名から明らかなことだ、もったいぶる必要もない。先に結論を述べてしまおう。いま必要なのはもっと「遅い」インターネットだ。それが、本書の結論だ。

第2章

拡張現実の時代

エンドゲームと歌舞伎町のピカチュウ

「私は絶対なのだ（I am inevitable）」サノスは勝ち誇っていた。宇宙の原理を司る六つのインフィニティ・ストーンを手にしたサノスはあと指を一回鳴らすだけで、この世界のすべての生命を消滅させることができるはずだった。しかし、彼が指を鳴らしても何も起こらなかった。サノスの手にあるはずのインフィニティ・ストーンはいつの間にかアイアンマンことトニー・スタークに奪われていたのだ。そしてトニーはサノスに答える。「ならば、私はアイアンマンだ（And, I am Iron Man）」――トニーが指を鳴らすと、サノスの身体と彼の率いる宇宙軍は跡形もなく消滅していく。だがインフィニティ・ストーンの力に耐えきれなかったトニーの身体もまた、滅んでいった。人類は救われた。トニー・スタークの尊い犠牲と引き換えに。

これは2019年公開の映画『アベンジャーズ／エンドゲーム』の結末の展開だ（未見の、しかしこれからシリーズを追いかけようと考えていた人には心からお詫びしたい）。2008年公開の『アイアンマン』第1作から11年、22本に及ぶ連作（MCU＝マーベル・シネマティック・ユニバース）は、この『エンドゲーム』で一度完結する。世界中の人々が10年以上に及ぶヒーローたちの戦いの決着を固唾を呑んで見守り、そしてこうしているいまも、世界中の人々がトニーの喪に服している。２０１９年7月時点の興行収入は全世界合計で約27億９０２０万ドルで、『タイタニック』（１９９７年）や『アバター』（２００９年）を抜いて歴代1位となった［※15］。

ＭＣＵはおそらく、映画という文化の制度を半ば変えてしまっている。このシリーズは一本一本が独立した、そしてコンセプチュアルな映画として完成しながらも、テレビドラマ的な連続性を保ち、物語の進行を心待ちにする観客と並走し続けた。これは20世紀前半と後半を席巻した映画とテレビ、ふたつの映像文化の融合による進化だ。映画という20世紀の人類社会を象徴する文化を、同シリーズを送り出したウォルト・ディズニー社はまさに終わらせて（エンド）、そしてさらに別のゲームに書き換えてしまったのだ。

ＭＣＵの観客は少し、しかし確実にこれまでの劇映画の観客とは異なっている。彼ら彼女らは半分はまるでディズニーランドのアトラクションに並ぶように映画館に足を運んでいる。世界中の人々と同じものを、同じタイミングで観て、その感想をソーシャルメディアでシェアすることを目的にしている。そして現実にこの社会で起こり得ることを代理体験し、自分の社会観を構築するのではなく、現実には起こり得ない絵空事を求めている。正確にはファンタジーにしか描けない、世界の目に見えない真実を見たがっている。そこで求められているのは物語や演出である以前にリッチな「画」と「音」だ。いま映画という文化は「画」と「音」を体験させることをその価値の中心に置く初期映画的なものに回帰しつつある。物語や演出を楽しむのならもはや映画館に足を運ぶ必要はなく、Netflixで十分だ。かくして、世界中の興行収入ランキングはアニメ／特撮とミュージカルだらけになった。この変化の象徴がMCUだ。

そしてMCUの怪物性はそれにかえて11年間で22作を公開するという異例の形式を取り、そのことによってテレビドラマに奪われつつあった物語の器としての映画という側面をも、半ば取り戻すことに成功しているところにある。だからこそ、フランシス・F・コッポラ（『ゴッドファーザー』『地獄の黙示録』）やマーティン・スコセッシ（『タクシードライバー』）などの20世紀映画の巨匠たちはこのMCUを嫌悪するのだ［※16］。トニーがインフィニティ・ストーンでサノスとその宇宙軍を消滅させたそのとき、僕は確信した。宇宙を恐怖で支配してきたサノスの帝国は崩壊した、しかしこの世界にはディズニーという旧くてあたらしい帝国の支配が完成されたのだ、と。

僕は映画館のロビーで同行していた仲間たちが売店やトイレに並んでいるのを待つあいだ

同時にこんなことを考えていた。この「帝国」に、インフィニティ・ストーンを手にしたディズニーという名の前代未聞の巨大帝国に対抗できる勢力はあるのだろうか。あるとすれば、それはどのような勢力なのか。もちろんここでの問題はエンターテインメント産業の業界地図といったつまらないことではない。ニュース映像から劇映画、そしてスポーツ中継まで、映像とそこで語られる物語は、20世紀を生きた人々の社会像を極めて強力に決定していた。ラジオ（放送技術）と映画（映像技術）なくして20世紀前半の総力戦の時代は成立せず、そして両者の結託であるテレビなくして後半の冷戦の時代の安定はあり得ない。しかし情報技術の進化はメディアの変化をもたらし、それは映像という制度の変化を、それ以上に人々を幻想領域で接続するもののメカニズムを変化させているのだ。ハリウッドの片隅に席を占めていたディズニーが、いまやその中核を担いそしてマーベルのヒーローコミックというサブカルチャーを吸収することで劇映画という制度そのものを進化させつつあることの意味は、この前提の上で考えられなければいけない。劇映画という制度は、今日の情報環境下でどのようなかたちに進化し得たのか。そして、かつての20世紀における劇映画に匹敵するものの萌芽は21世紀の今日の世界のどこに発見し得るのか。それがこのとき僕が考えていたことだ。そして、ここで僕は、なかなか戻ってこない仲間たちに少し苛立ちながら手元のスマートフォンでモンスターたちを捕獲していた。週末夜、新宿区歌舞伎町に大量発生していたピカチユウやゼニガメを乱獲していたのだ。

「他人の物語」から「自分の物語」へ

いま必要なのはもっと「遅い」インターネットだ。それが本書の結論であることが第1章の末尾で早くも明かされてしまったわけだが、ここで筆をおくわけにもいかない。なぜいま「遅い」「インターネット」なのかをこれから本書では論じていくことになる。それではまずこの章では今日の世界の情報環境を俯瞰して、そしてその上で人類に起きた変化を検証してみよう。

「映像の（20）世紀」から「ネットワークの（21）世紀」へ。情報技術の発展はいま、人間の心を動かすものとそのメカニズムを根底から変えようとしている。

工業社会から情報社会への移行によって、価値の中心は「モノ」から「コト」へと移行した。21世紀の今日において、僕たちはアルマーニのシャツの袖口から半分見え隠れするようにロレックスの時計を巻くことを、むしろ表層に囚われた（そして内面の希薄な）人間の行為だと考えるようになっている。それよりもむしろ週末にSDGsのワークショップに出かけ、講師の言葉をMacBookでメモを取りながらその発言をさも自分の質問の結果発生した議論であるかのように誤読可能な表現でFacebookに載せることのほうが流行に適っている。閉会後にセルフィーに応じてくれた講師が、著名な起業家やアーティストであれば言うことはない。

もちろん、どちらのタイプもできるだけ早急になるべく深い溝に流す（もしくはインフィニティ・ストーンの力で灰燼（かいじん）と化す）ことが必要なのは前提として、ここで重要なのはモノからコトへ、物品から体験へ人々の考える価値の中心が移行していることだ。

そしてこの「モノからコトへ」の移行は同時に、「他人の物語」から「自分の物語」への移行でもある。

この四半世紀で、二次元の平面（紙、スクリーン、モニター）上に置かれた「他人の物語」ではなく、三次元の空間での体験、つまり「自分の物語」を発信することに人々の関心は大きく移行しつつある。テキスト、音声、映像といった「他人の物語」を記録したモノ（本、ＣＤ）には値段がつかなくなり、フェスや握手会といった「自分の物語」としての体験が、つまりコトが値上がりしている。いや、こうした情報たちが、それらを材料にした体験の側に価値を発生させその商品価値を延命させていく、というのは周辺的な問題だろう。おそらく僕たちが生きているあいだは、そもそも他人の語る物語に感情移入することの快楽が相対的に支持を失い、自分が直接体験する自分が主役の物語に余暇と所得を傾ける人々が増えていくのだ。

「他人の物語」と映像の世紀

映像の20世紀と呼ばれた前世紀は、まさにこの魔法の装置によって社会が決定的に拡大した時代だった。

人間の目や耳を中心とする五感で得られた断片的な情報を脳で結合し、記憶で補完することで発生するのが「体験」だ。これを誰かと共有することは、本来は不可能なことだ。しかし人類はこの乖離した、三次元の空間で発生した「体験」を二次元の平面上の情報に統合するという術を編み出した。三次元の、乖離したものを、二次元に統合して共有可能にすることによって、つまり虚構を媒介にすることによって、文脈の共有を支援することに僕たちは成功したのだ。19世紀と20世紀の変わり目に登場した映像という装置は立体的な現実を平面的な虚構に整理することで、乖離した人間の認識を統合する。こうして生まれた画像が連続し、擬似体験を形成する。このとき人類ははじめて整理され、統合された他人の経験（カメラの視点）を共有することが可能になったのだ。

そしてこの映像が放送技術と結託すること（テレビ）で、20世紀の国民国家は広く複雑化した社会の維持が可能になった。

しかしこの映像という制度はいま、情報環境の進化によって大きく変質しつつある。21世紀の今日において、あらゆる「映像」はインターネット上でシェアされる「動画」のバリエーションになりつつある。映画やテレビといった20世紀的な映像を人々が受け取る方法は徐々にストリーミング配信へ移行しつつあり、そしてそれ以上にYouTubeからTikTokまでソーシャルネットワークでシェアされる対象として、映像はこれらのサービス上で用いられるカジュアルなコミュニケーションツールになりつつある。インターネットは写真を「画像」に、映像を「動画」に、つまりネットワークで共有されることが前提のものにしたのだ[※17]。

20世紀の人類は広義の劇映画とその派生物（テレビ、マンガ、ポピュラーミュージック、スポーツ中継）を通して他人の物語を消費し、内面を養い、そして他の誰かとその（擬似）体験を共有することでかつてない規模と複雑さを備えた社会を維持してきた。前世紀に生を受けた僕たちにとって、社会とはスクリーンやモニターの中に存在するものだった。しかしおそらくこれからの人類は（少なくとも20世紀の人類ほどには）映像の中の他人の物語を必要としなくなるだろう。

20世紀という「映像の世紀」を席巻した劇映画とは基本的に「他人の物語」への感情移入装置だった。20世紀初頭の映画の普及は、いわゆる有名人のカテゴリーを一変させた。小説家をはじめとする文筆業者への注目度が相対的に低下するその一方で、俳優、コメディアン、アスリートなど映像という新しい媒体と親和性の高い表現者たちの台頭を生んだ。19世紀が（総合）小説の世紀なら、20世紀は（劇）映画の世紀だ。20世紀の知識人は19世紀の文学を共通言語にコミュニケーションを取ったように、21世紀の知識人は20世紀の映画を共通言語としてコミュニケーションを取るだろう。これは、21世紀における劇映画がメジャーシーンではディズニー的にグローバルな大衆娯楽として完成されるその一方で、マイナーシーンにおいては知識人たちの共通言語となる教養として、細分化とハイコンテクスト化を遂げていくことを意味する（小説がかつてそうであったように）。

「他人の物語」から「自分の物語」へ。この圧倒的な変化の中で、旧世紀的な映像産業はグローバルな資本による寡占化が進んでいる。そこでは高齢化する先進国に暮らす20世紀の人類を対象に、前世紀の有名作のリブートと続編が再生産され続けるだろう。それが映像作品を最大の共通体験とする僕たち映像の世代を動員するための最適解に他ならないからだ。作品の良し悪しとは別問題としてポップカルチャーのメジャーシーン、特に映像文化については20世紀後半の思い出を温めるコミュニケーションが支配的に、それも全世界規模でなるはずだ。

気がつけば毎年年末に生放送される「紅白歌合戦」は1年の締めくくりにその年に活躍した音楽家がヒットソングを披露する場ではなく、戦後大衆音楽史のダイジェスト的なセットリストを組んで、老若男女がノスタルジーを共有する場に変貌し、近藤真彦や松田聖子が「トリ」を飾っている。そしてディズニーに権利が買われることでシリーズが再開した『スター・ウォーズ』は、第1作を手堅く現代風にリメイクしながら、初期シリーズの登場人物のその後の姿を盛り込むことで、ディズニーらしいファミリー向け映画に生まれ変わった。

おそらく僕たちが生きているうちに、劇映画やアニメといった映像文化のメジャーシーンは20世紀、特に戦後のタイトルを古典としたリブートや二次創作物が占めていく可能性が高い。随分と前から、ハリウッドの興行収入ランキングでは、20世紀後半を彩った有名大作の続編とリメイクが大きな位置を占めている。この10年の映画興行収入ランキングを席巻したMCUに登場するヒーローたちがほぼ20世紀のコミックが生んだキャラクターであることは、そのことを端的に証明している。

考えてみれば、そもそも人々が映像で描かれた物語を最大の共通体験とする社会自体が戦後に決定的に拡大したもので、たった数十年の歴史しかもたないものだ。そしていまこうした世代の共通体験としての映像文化そのものが、いわば熟年期にさしかかっている。このとき「紅白」から『スター・ウォーズ』まで、社会がメジャーシーンとしての映像文化に要求するのは、ユースカルチャーとして時代の感性を代表することではなく、むしろ自身の歴史を参照しながらその観客の記憶を温め直すことなのだ。そして劇映画はその社会的な機能の変化を受け入れることでこれまでとは異なった、しかしより強大な影響力を社会に行使している。

おそらく20世紀的な「映像」文化がかつてのような社会的機能を取り戻すことはないだろう。僕たちは、マスメディアが社会を構成する時代に、その王者として君臨していた映像分野がもっとも果敢に時代の感性を代表し、世代の共通体験となる神話を生んできた時代に「たまたま」生きてきた。しかし、その時代はいま、ゆっくりと終わろうとしている。そして劇映画という制度は一度終わることで、「動いているもの」から「止まっているもの」へ変化することで、より強大で支配的な存在に変貌しつつある。それはあたらしいものを生む力はないが、既に存在しているものをもっとも強い力で動かすことができる。この現象は(個人的には少し寂しいことだが)、ひとつの表現のジャンルが成熟し、社会の変化に応じてその役割を変貌させたに過ぎない。こうして「映像の世紀」は終わり、そして映像、特に劇映画はネットワーク上にシェアされる「動画」のジャンルとしてこれまでとは異なる社会的な機能をもつようになったのだ。こうして「帝国」は完成されたのだ。

「自分の物語」とネットワークの世紀

しかしその一方で、このネットワークの21世紀には、ディズニーが象徴する旧世紀的な劇映画とはまったく異なる論理で形成され、まったく異なる構造で人間の心を動かす文化が台頭している。

今日においては人間の心を動かす装置は劇映画が代表する「他人の物語」から、自身の体験を発信する「自分の物語」へとその中心を移しつつあるのだ。そう、僕たちはこの四半世紀で誰もが（それがどれほど凡庸で、陳腐であったとしても）自分の物語を語り得ることに気づいてしまった。他人の物語に感情移入することよりも、自分の物語を語ることの快楽が強いことに気づいてしまった。本が売れないと嘆く出版社の社員の敵は他の出版社の刊行物ではなく、視聴率の悪さに胃を痛めるテレビマンの敵は他局の裏番組ではない。彼らの敵は、Facebookであり、Instagramであり、そしてTwitterだ。彼らの顧客は、モニターの中のヒーローやヒロインの自分ではない他の誰かの物語に感情移入するよりも、自分が週末に出かけたセミナーで、終了後に話しかけた著名人とのセルフィーをFacebookのウォールにアップロードすることのほうに夢中だ。あるいは夕食後にベッドでだらだらと、数時間前までカフェで話し込んでいた彼氏と自宅に帰ったあともＬＩＮＥでメッセージをやり取りすることのほうに充実感を覚えはじめているのだ。

活版印刷の時代から映像の世紀に至るまで、人類社会では「他人の物語」を享受することによって個人の内面が醸成され、そこから生まれた共同幻想を用いて社会を構成してきた。しかし、グローバル資本主義は共同幻想を用いずに、政治ではなく経済の力で、精神ではなく身体のレベルで世界をひとつにつなげてしまった。僕たちはこれまでのようには「他人の物語」を必要としなくなっているのだ。

たとえばこの視点からは近代文学とは本質的に他人の物語でしかあり得ない小説を、様々な手法で自分の物語として読者に錯覚させる手法の開発を中心とした文化運動だった、と総括することもできるだろう。その役割は20世紀に劇映画に引き継がれたが、今世紀において個人が自分の物語を語ることが日常的になったとき、その使命は（少なくともこのかたちでは）終わりを告げたと言える。

情報技術の発展は、劇映画を終着点とする「他人の物語」から、自分自身の体験そのものを提供する「自分の物語」に大衆娯楽の中心を移動させている。その結果、レコード産業は衰退する一方でフェスの動員は伸びる。ディズニーが世界的な支配権を握ろうとする劇映画産業が旧世紀へのノスタルジーを用いて、人々のコミュニケーションを効率化する産業に変化するその一方で、ライブカルチャー、観光やライフスタイルスポーツ（ランニング、ヨガなど）の動員が伸びている。21世紀は「自分の物語」が台頭する時代なのだ。

『Ingress』から『ポケモンGO』へ

では今日の「自分の物語」の時代をエンターテインメントにおいて象徴する存在とは何だろうか。今日における「他人の物語」の最新形がMCUなら、「自分の物語」の支援装置の最新形が同じく冒頭に引用した『ポケモンGO』だ。

株式会社ポケモンと米Googleの社内ベンチャーとして創業した（現在は独立）ナイアンティックが共同開発したスマートフォン対応の位置情報ゲームである同作は、2016年夏に各国でリリースされるとわずか8週間で5億ダウンロードを突破し、位置情報に紐付けられ世界中に生息している数百種のモンスターを捕獲するために、1億人以上と言われるプレイヤーたちがスマートフォンを片手に街々を歩き回り、世界規模の社会現象と化した。拡張現実技術により、スマホのカメラを通して街の風景にモンスターが出現するビジュアルに、衝撃を受けたユーザーも多いだろう。

同ゲームの原型となったのは2013年にナイアンティックがGoogleの社内ベンチャー時代にリリースした位置情報／拡張現実ゲーム『Ingress』だ。これは世界中の名所旧跡や公共建造物を〈ポータル〉として設定し、それを青軍と緑軍の二大勢力が奪い合う世界中を舞台にした陣取りゲームだ。ポータルの攻撃／防衛のためには実際にその場所まで赴いてスマホを操作する必要がある。

同作の開発責任者はGoogle元副社長ジョン・ハンケだ。ベンチャー起業家としてゲームや地図サービスを手掛けていたハンケは、自社を買収されるかたちでGoogleへ参加した。参加後は、Google Maps、Google ストリートビューなど同社の地図サービスの責任者を経て、その後社内ベンチャーのナイアンティック・ラボを設立する。そして自らがプロデュースした位置情報ゲーム『Ingress』をハンケは人々に世界を歩き回らせることを目的としたゲームだと宣言する。

Google Mapsによって情報化された世界を歩き回るだけで、人々は自動的に自然や歴史に触れ、学習するとハンケは考える。しかし、その学習の発生確率を高めるために（人間の能動性を上げるために）ゲーミフィケーションを施す。それが『Ingress』であり、『ポケモンGO』だ［※18］。

実際に『Ingress』のプレイはその土地の構造や歴史、インフラの配置などをプレイヤーに結果的に学習させる効果が高く、街歩きや散歩のコツ――こういうところを見て歩けば街歩きはぐっと楽しくなる――を身につけることができる（かくいう僕も『Ingress』で街歩きに夢中になったひとりだ）。

言い換えればそれは、人間の地理と歴史への感度、世界を見る目を鍛える行為でもあるだろう。自分たちが生きているここ＝「この世界」の深さを、多層性を把握し得る世界を見る目なくしては、「ここではない、どこか」＝世界の果てまで旅をしても何も見えてこない――そんな確信が『Ingress』のゲームデザインの根底にある。

ここで誤解してはいけない。『Ingress』の快楽の中心はポータルの攻防自体にはないし、『ポケモンＧＯ』の快楽の中心は、ピカチュウやゼニガメを捕まえることそのものにはない。出現度の低いレアなモンスターを捕獲するために友人たちと連れ立って夜中の代々木公園に出向くことや、普段とは違った通勤路を通ってオフィスに赴くことのほうに快楽の中心がある。ここで追求されているのはあくまで「自分の物語」なのだ。

「他人の物語」から「自分の物語」への人間の関心の移行は、同時に映像の20世紀からネットワークの21世紀への変化であり、それは具体的にはメディアからプラットフォームへの移行として表れる。そしてインターネット・プラットフォームとは、環境管理的な思考に貫かれている。効果的に環境を整備することによって、人々は自ら自分の物語を見つけ、発信しやすくなるはずだ、と。

そして世界を代表するインターネット・プラットフォーマーであるGoogleの思想を、このハンケによる一連のサービスは結果的に体現している。世界をあまねく情報化し、検索可能にすれば、人間は自発的に自分の物語を見つけて、創造性を発揮していく。あとは適切なゲーミフィケーションを施し、その発生率を上げてやればいい。その軌跡がGoogle MapsからGoogleストリートビューへ、そして『Ingress』から『ポケモンGO』への流れに他ならない。

前述したようにかくいう僕も『Ingress』をきっかけに散歩の面白さに気づかされた経験がある。そして最初はまさに『Ingress』をプレイしながら散歩に興じていたが、散歩自体のコツを掴んでくると、『Ingress』の存在が余計なものに思えてきた。ゲームの支援がなくとも、街歩きによってその自然や歴史にアクセスする技術を、経験的に身につけてしまったのだ。そして僕はスマートフォンの電池が速く減るのが嫌になってゲームを止めた。しかし、これはおそらくハンケの狙い通りの展開だろう。

ハンケはゲーミフィケーションによって世界を見る目を養い、人間を歴史や自然と接続させることを目的にしていたと思われる。そしてこの世界を見る目、日常の中に潜る目を養わないまま「ここではない、どこか」の非日常に脱出してもニューヨークに出かけようが、アフリカに行こうが、それは観光旅行という商品を消費する行為以上のものにはならないのだ。「この世界」の日常に潜り、「自分の物語」を追求し得る能力をゲーミフィケーションによって開発すること。それがハンケの手掛けた『Ingress』の、そして『ポケモンGO』の思想的なコンセプトだ。

既に世界中のソーシャルメディアでそれが証明されていることだが、人間はただ発信するだけではどんどん卑しく、空疎に、凡庸に、画一的になっていく。こうしているいまも世界中の観光客が自分だけの物語だと信じて凱旋門前でセルフィーを撮り、おしなべて同じような（絵葉書を模倣したような）画像をFacebookにアップしている。だからこそGoogleはSNS（Google＋）から撤退し、ハンケはユーザーを人間の作り出すソーシャルネットワークではなく、ゲームの力で自然と歴史に対峙（たいじ）させようとするのだ。

ジョン・ハンケと「思想としての」Google

このジョン・ハンケの語る「思想」は同時にGoogleを中心とした情報産業の世界観の表現でもある。もちろん、ハンケはその経歴的にGoogleのあくまで傍流に過ぎず［※19］、現在彼が率いるナイアンティックはGoogleから独立している。しかしそれゆえにハンケの存在はGoogleの思想的な側面をラディカルに抽出し、体現していると言える。なぜならばGoogle Earth、Google Maps、Googleストリートビューなど、ハンケが手掛けた地図情報サービスは、いずれもこの時期のGoogleという企業の、それもこれまでではなく、これからの世界観の中核に存在するからだ。

Googleがモニターの文字情報の検索から、現実そのものの情報化とその検索に舵を切ってから久しい。Googleがウェブサイトの検索を提供する企業だったのは過去の話だ。数多くの他のサイトからリンクされているサイトは重要なサイトである。そして、重要なサイトからリンクされているサイトも重要なサイトである――かつてGoogleは、本来無秩序なインターネットを検索可能にし、擬似的な秩序をもたらした。その意味において、Google検索とは本来は分散的なインターネットを「擬似的に」「中央集権化して」「見せる」装置だったとも言える。

今世紀初頭のある時期にGoogleによって成立していたネットサーフィンという行為は、いま過去のものになろうとしている。SEO（検索エンジン最適化）の手法とインターネット広告産業の発展は、Googleの検索結果を大きく汚染した。その行き着いた先として、Google検索結果の上位に表示されるのは広告収入目的のWikipediaを引き写したような事実上無内容なブログと、扇情的な見出しをつけてクリックを誘うフェイクニュースまじりのニュースサイトばかりになった。そして気がつけば、僕たちはGoogleをWikipediaのインデックスにしか使っていない。もはやネットサーフィンという言葉は死語となり、僕たちはそこにある情報が最低限の基礎情報でしかないことを――それも大本営発表的な公式情報と、素人のユーザーが編集権をもつ甚(はなは)だ信頼性の低い情報でしかないことを――経験的に知っているのだ。

しかし、現在のGoogleは異なるアプローチを行っている。もはやGoogleはモニターの中のウェブサイトの文字列を検索する企業ではない。現在のGoogleはジョン・ハンケの手掛けたGoogle Mapsが代表するように実空間とそこに存在するあらゆる事物を検索する会社だ。

ＳＮＳ（Google＋）のサービス終了が象徴するように、いま、Googleは文字列の検索とハイパーリンクによるインターネットから、事物と事物が媒介なく直接つながり、実空間そのものが検索可能になるインターネットへその軸足を移しつつある。ハンケの存在は傍流であるがゆえに、巨大な営利企業であるGoogleのその思想面をラディカルに体現しているのだ。

仮想現実から拡張現実へ

こうした変化の背景にあるのは虚構そのものの弱体化だ。今日においてYouTubeを5秒検索すれば、大抵の虚構より刺激的な「現実」に遭遇できる。この事実が、20世紀後半的な虚構の相対的な優位を崩していくはずだ。いま、虚構と現実のパワーバランスは後者に傾きはじめている。

「仮想現実から拡張現実へ」とはもう15年ほど前の情報産業におけるトレンドの変化を表現する言葉だが、これは僕たちの虚構に対する欲望の変化をも表している。かつて、インターネットが代表する情報技術が人類に与えていた「夢」とは、「ここではない、どこか」を仮構することだった。この世界とは異なるもうひとつの世界を構築すること。それが前世紀の末にコンピューターが担った最大の期待であり、そして当時の若者たちが虚構に求めたものだった。だからこそ僕たちはそこで本名ではなくハンドルを用い、もうひとつの自分を演出した。そしてそこに現実とは切り離されたもうひとつの世界を作り上げ、そこでもうひとつのルール、もうひとつの秩序、もうひとつの社会を築き上げようとした。まだインターネットがソーシャルネットワークに飲み込まれる前の話だ。

だが、現在は違う。僕たちは情報技術を「ここ」を、この場所を、この世界を豊かにするために、多様化するために、多重化するために用いている。多くの人たちが実社会の人間関係の効率化とメンテナンスのためにFacebookを用い、夜の会食の店を食べログで検索して予約し、移動中はApple Musicでヒットチャートをチェックする。退屈な会議中は、海外出張中の友人にメッセンジャーで愚痴をこぼす。

21世紀の今日、僕たちは情報技術を「ここではない、どこか」つまり仮想現実を作り上げるためではなく「ここ」を豊かにするために、つまり拡張現実的に使用している。

そして繰り返すが、「仮想現実から拡張現実へ」というキャッチフレーズは情報産業のトレンドの変化を表現するもの以上の意味を帯びている。それは僕たちの虚構観そのものの変化でもあるのだ。20世紀的な劇映画は、ディズニーのプリンセスストーリーたちや『スター・ウォーズ』、そしてMCUが代表するように半ばグローバルなコミュニケーションツールとなり、そして『ポケモンGO』が代表する21世紀的なアプリゲームは通勤や買い物といった生活そのものを娯楽化する。「ここではない、どこか」に、外部に越境することではなく「ここ」に、内部に深く潜るための回路を、いま、僕たちは情報技術に、そして虚構そのものに求めつつあるのだ。

ここで第1章で論じたカルフォルニアン・イデオロギーのルーツについて思い出してもらいたい。60年代末の世界的な学生反乱（ベトナム反戦運動、五月革命、そして全共闘）とその挫折は、当時の先進国のユースカルチャーのモードを切り替えた。革命を起こして（政治的に）世界を変えることから、（文化的に）自分の内面を変えることで世界の見え方をも変えることへ、若者たちのモードは変化した。その代表がアメリカ西海岸のヒッピーカルチャーだった。こうしたカウンターカルチャーのひとつがコンピューターによるサイバースペースの構築だった。それは革命の挫折によって資本主義を超える可能性を失った若者たちにとって、失われたフロンティアの捏造（ねつぞう）でもあったはずだ。そして今日において、彼らが発見したサイバースペースはまさに資本主義のフロンティアとして機能している。もはやそれは、世界の見え方を変える運動ではない。政治的なアプローチ（革命）ではなく経済的なアプローチ（イノベーション）で実際に世界を変えるあたらしい方法なのだ。

20世紀最後の四半世紀のあいだ、虚構とは、革命の可能性を失った消費社会において「ここではない、どこか」を仮構することが役割だった。これが仮想現実（VR）的な虚構だ。しかし、超国家的に拡大した市場を通じて世界を変える回路が常態化した今日において、外部を失ったグローバル化以降の世界において虚構が果たすべき役割は「ここ」を重層化し、世界変革のビジョンをこの現実に示すことなのだ。拡張現実（AR）的な虚構がいま、求められているのだ。

拡張現実の時代

ここで思考の補助線を引いてみたい。戦後日本を代表する社会学者とされる見田宗介は、戦後日本史の整理に「反現実」という概念を用いた。反現実とは何か。それは現実の世界には存在していないが、それゆえにその社会の性質を決定づけてしまう概念のことだ。具体的にそれは「……と現実」というかたちで記述される。たとえば「理想と現実」「夢と現実」「虚構と現実」といった具合に、僕たちはこの反現実に無意識に支配されてその社会をかたちづくっている。それが見田の主張だ。そして見田はこの反現実という概念を用いて戦後史を整理する。

終戦の１９４５年から日米安全保障条約の改定が行われた１９６０年までがアメリカ型の民主主義、あるいはソビエト連邦型の社会主義という「理想」が素朴に信じられていた「理想の時代」、続く１９６０年代から１９７５年までが世界的な学生反乱の中でラディカルな社会変革の「夢」が語られた「夢の時代」、そして１９７５年以降は世界を変えるのではなく、自己の内面を変えるために主にサブカルチャーを用いて虚構に耽溺する「虚構の時代」

――それぞれ「理想と現実」「夢と現実」「虚構と現実」というかたちで表現される反現実(理想、夢、虚構)が時代のモードを決定したと見田は主張する。そして見田の弟子にあたる社会学者の大澤真幸(まさち)はこの「虚構の時代」の終わりを1995年に設定する。敗戦から50年目にあたるこの年を象徴するのがオウム真理教による地下鉄サリン事件だ。当時のサブカルチャー(オカルトやアニメ)を背景にまさに社会ではなく自分の内面を変えるための場として80年代に生まれたオウム真理教はこのころにはその思想を変質させ、テロによって社会を変化させることを必要としていた。奇しくも「ウィンドウズ95」の発売によって「インターネット元年」と呼ばれたこの年、つまり再び自分の内面ではなく世界のほうを変える力が人々に普及しはじめた年に「虚構」に完結できなくなった若者たちが現実をテロリズムによって、それも最大限に稚拙な方法で変えようとしたのだ。

では、この見田/大澤の戦後史区分に従ったとき、現代の情報社会を決定づける反現実とは何か。それは「(情報技術によって拡張された)現実」だ。相対的に虚構が衰微した、いや、情報環境的にあらゆる虚構が現実の一部に回収された今日において、もはや反現実とは、理想でも夢でも虚構でもなく、拡張された現実なのだ。僕たちはもはや、遠い外国(具体的には戦勝国)の社会を理想化し、そこに接近することが社会の改良と同義であるという「理想」を信じることはできない。あるいは民主主義と資本主義という近代社会の前提そのものを破壊し、人類を根源的に救済するユートピアを建設するという「夢」を見るには賢くなりすぎている。そして世界を変革するのではなく、自分の内面を変える「虚構」に耽溺することに意味があった時代もとっくに過ぎた。いま僕たちが生きるこの時代の、この世界には現実そのものと、情報技術によって拡張された現実があるだけだ。そしてこの拡張された現実が肥大した人々の欲望を一手に引き受けている。グローバリゼーションで世界に「外部」が消失したいま、反現実として機能するのは拡張された（未来の）現実だけだ。外部に脱出するのではなく、内部に潜ることがいま、必要とされている。そして今日の世界は自らをその内部から書き換え、進化させる力をもつグローバルな資本主義と情報技術によって駆動されている。世界は再び、変革し得るものになっているのだ。

僕は2011年『リトル・ピープルの時代』（幻冬舎）で、現代を拡張現実の時代と位置づけた。前述したようにマルクス主義の失敗からカリフォルニアン・イデオロギーの台頭までの数十年のあいだ、虚構の機能は「ここではない、どこか」を仮構することだった。それは比喩的に言えばVR（仮想現実）的な虚構観だ。対して「ここ」を多重化し、拡張していくことが虚構の機能として求められるようになった現代のそれはAR（拡張現実）的な虚構観だ。そのため同書では現代を「拡張現実の時代」と位置づけた。そう、もはや僕たちの社会を規定する反現実は仮想現実的な虚構ではない。それはこの現実を、この場所を多重化し、拡張するための虚構——拡張現実的な虚構——なのだ。虚構＝仮想現実の時代が終わり、拡張現実の時代が幕を開けたのだ。

このとき同書で象徴的に取り上げたのが『ポケットモンスター』シリーズだった。勇者が魔王を打倒するといった予め決められた道を、さも自由に冒険しているかのように錯覚させながらプレイヤーに歩かせるＲＰＧ（ロールプレイングゲーム）の形式を遵守しながらも、一方ではまるで子供が草むらで虫採りに興じるように、ゲームの世界でポケモンを捕獲し、学校の教室で、放課後の公園でその交換と対戦を繰り返す『ポケットモンスター』シリーズに、僕は「拡張現実の時代」の萌芽を発見したのだ。僕はこのとき、当時の携帯ゲーム機を用いたポケモンの消費形態に、その予兆を感じて取り上げたわけだが、その予感は5年後の２０１６年にジョン・ハンケ率いるナイアンティックによって、つまり戦後サブカルチャーの結晶とGoogle的な想像力の融合によって実現したのだ。

ネットワークの世紀とは、拡張現実の時代とは「ここではない、どこか」に脱出するのではなく、「ここ」に深く潜ることでこの現実を拡張し、変えていくための想像力こそが批判力のある虚構として機能する。現代はかつて信じられていた革命的なアプローチ（政治）ではなく、ハッキング的なアプローチ（経済）によって世界が変わることが信じられる時代なのだ。『ポケモンGO』の世界的な社会現象化はこうした現代的な＝拡張現実的な虚構観を端的に表現している。ハンケはこの変化を背景に、日常の中に自然／歴史への接続回路を埋め込むゲーミフィケーションを試みたのだ。

ジョン・ハンケ率いるナイアンティックは拡張現実的に日常世界（私的な領域）の中に、非日常世界（公的な領域）を侵入させようとしていると言える。このときハンケは拡張現実として世界中に発生させたモンスターたちを、プレイヤーと世界とを結ぶ蝶番として用いている。Googleの思想に従うのなら、世界を情報化し、検索可能にしてしまえばあとはプレイヤーたちは勝手に世界を歩き回り、自然や歴史と接続し、クリエイティビティを発揮するはずだ。しかし大抵の人間は検索したものしか視界に入れず、Googleの整備した環境を使いこなすことができない。仕事の移動ルートを検索し、最適化するだけで満足しそこで偶然視界に入る自然物や建造物に注意を払うことはむしろしなくなる。旅行に出かけても観光地でWikipediaを引くだけで、普段とは異なる土地に寝泊まりし、食事をすることで得られる膨大な刺激のほとんどに注意を払わない。世界を視る目が養われていなければ、たとえ世界の果てまで旅しても何も見つけることはできないのだ。だからこそ、ジョン・ハンケはモンスターをばらまく。モンスターを捕獲するためにその場所に足を運ぶことで通学途中の路地裏や、いつも買い物に行く商店のすぐ隣にあるものに目を向けさせるために、世界を視る目をいつの間にか開発できるように、ゲーミフィケーションを施すのだ。

このときハンケがモンスターたちを必要としたその理由は、おそらく日本の伝統的な虚構観に起因している。なぜならば日本の伝統的な「妖怪」もまた「ここではない、どこか」の異界ではなく「ここ」の日常の中の習俗や生活文化から生まれた存在だったからだ。そう、日常の生活空間に、たとえば台所の片隅や路地裏に小豆洗いや油すましが現れるように、路上にピカチュウやゼニガメやヒトカゲが現れることが必要とされたのだ。言い換えればあの夏、ポケモンたちは伝統的な想像力に回帰することによって、同時に現代化したのだ。

個人と世界をつなぐもの

さて、ここで議論を前章で論じた民主主義の問題に回帰させよう。いま、民主主義は巨大な暗礁に乗り上げている。そしてこの暗礁は、これまで論じてきたように僕たちと世界とを結ぶもの――メディア――の問題が体現している。

20世紀前半に人類は放送技術（ラジオ）と映像技術（映画）を手に入れた。そしてこれらのものを――ばらばらのものを、ひとつにつなげる装置を――駆使して、いまだかつてなく巨大な社会を運営し得るようになった。しかしその副産物として全体主義の台頭を呼んだ。ラジオと映画なくしてアドルフ・ヒトラーの台頭はあり得なかったのだ。そして二度の世界大戦を経た人類は政治とマスメディアの切断という知恵を手に入れた。しかし冷戦下の相対的な平和の時代に西側諸国を席巻したのは、政治から切断されることで肥大したマスメディア――具体的にはこの時期発展したテレビ――によるポピュリズムだった。

そして前世紀の末に普及をはじめたインターネットはこのテレビを媒介としたポピュリズムによる政治漂流と衆愚化に直面した現代の民主主義の救世主として期待されていた。その媒体の構造的にポピュリズムの器になる以外にないテレビを相対化し、熟議によるあたらしい公共の場としてのインターネット（電子公共圏）――その期待がもっとも肥大したのが、ソーシャルメディアによる「動員の革命」がアラブ諸国の軍事独裁打倒を実現した市民革命の原動力となり注目を浴びた「アラブの春」だろう。このとき世界中の人々は、単に情報を受信するだけの大衆がインターネットという武器を手にすることで情報を自ら発信することを覚え、主体的に考え、行動する市民に変化することを期待した。しかしたった数年でインターネットを器としたあたらしい民主主義への希望はほぼ完全に破綻した。このとき立ち上がった人々の多くは、自ら発信する快楽によってより強く動員された大衆に過ぎなかった。

それはポピュリズムの超克ではなく、強化だった。そしてポピュリズムのもたらした一過性のムーブメントはその後の権力の空白を呼び、結果的に原理主義勢力の台頭を促した。今日において、インターネットによる「動員の革命」をもっとも有効に活用しているのは、ISなどの原理主義勢力であることは明白だ。

この現実に対応するために、これまでの本章の議論を応用して考えてみたい。では、どうすれば、個人と世界を、「私」と「公」を結ぶものとしてのメディアを適切に再設定できるのだろうか。

物語への回帰

これまで見てきたように、この拡張現実の時代に対してたとえばディズニーはいま、20世紀的な映像の世紀の遺産を、(仮想現実的な)虚構をその莫大な資本力で総動員している。彼らは人々の週末を、祝祭的な非日常の時間をいま独占しようとしている。映画そのものよりも、映画を見に行くという行為そのものを祝祭と化し、参加した事実をソーシャルメディアでシェアし、感想をコメント欄で議論するまでの体験を提供している。対してGoogleから分離したナイアンティックは21世紀的なネットワークの世紀を体現し、拡張現実的なアプローチで世界中の人間の通勤時間を、待ち合わせの手持ち無沙汰な時間を、日常をハックしている。

この二者は、それぞれの方法でグローバル化と情報化のもたらす「境界のない世界」の出現に対応している。ディズニーは劇映画という旧いシステムを（モノからコトへ）アップデートすることで、Googleは現実そのものを虚構化する（拡張現実）新しいシステムを作り上げることで、それぞれ対応しようとしていると言える。そしてここで注目したいのは、それぞれのシステムで作品のメッセージがどのように観客／ユーザーに届いているかということだ。

たとえばディズニーが擁するＭＣＵは、いま世界中の人々を熱狂させている。アイアンマンに、キャプテン・アメリカ、ハルクにマイティ・ソー……ヒーローたちのユニット（アベンジャーズ）のメンバー構成は人種的、性的な多様性を保ったものに調整され、その物語には常にリベラルな多文化主義を擁護する政治的なメッセージが含まれている。ＭＣＵのみならず『アナと雪の女王』『ズートピア』などの今世紀に生まれたあたらしいアニメ作品でも、あるいは『美女と野獣』『アラジン』など、かつての名作アニメたちの実写リメイクも、いまやことごとくリベラルな多文化主義の啓蒙としての側面を強くもつ。不幸な現実に抗うように、あらゆる人種の登場人物たちが白人男性の専有していた活躍の場を奪い、女性や有色人種の登場人物たちは力強く自己実現を果たす。

もちろん、これらは興行収入などを目的とした商業作品に過ぎないが、それだけに今日における前世紀的な、映像の世紀的なアプローチの可能性と限界を体現している。今日の情報環境に即してアップデートされた劇映画が語る物語の、イデオロギーの射程距離を体現している。ここで留意すべきなのは、今日のディズニーの語る物語のメッセージはリベラルで多文化主義的だが、その手法はドナルド・トランプのそれと酷似していることだろう。

２０１９年夏に公開されたＭＣＵの最新作『スパイダーマン：ファー・フロム・ホーム』は、『アベンジャーズ／エンドゲーム』で一旦完結した物語の長いエピローグであり、同作の主人公スパイダーマンを中心としたアベンジャーズ新世代の新たな物語のプロローグであり、同時にディズニーによる極めて優れた、そして自信たっぷりの自己批評だ。

同作のヴィラン（悪役）であるミステリオは卓越した三次元コンピューター・グラフィックス技術を駆使して、自らを異次元から来訪したヒーローとして演出する。そして彼が提示した、次元を超えた闘争の物語と家族を失った悲劇性はアイアンマン亡きあとの大衆の心を摑んでいく。さらには敗北してその生命を落としたあとも、彼は同志たちの合成したフェイクニュース映像を用いて、スパイダーマンをテロリストに仕立て上げることで抵抗を続ける。

大衆のヒーロー願望に訴求し、コンピューター・グラフィックスで築き上げた虚構で魅了すること――これはMCUがその高いポピュラリティを獲得するにつれて、旧きよき映画愛好家の一部によって、あるいは20世紀の巨匠たちによって反復されていた批判そのものだ。そして、スパイダーマンことピーター・パーカーはミステリオに対し、亡きアイアンマンから継承した力で対抗するのだがこれはディズニーによる自信に満ちた自己批評だろう。大衆のヒーロー願望に訴求し、コンピューター・グラフィックスの虚構に埋没させるという点において、ミステリオのテロとMCUというエンターテインメントに差はない。大衆の欲する虚構を情報技術で作り上げ、それを与えることで動員するという点においてディズニーとトランプに差はない。しかし、同時に11年に及ぶシリーズ展開の中で多くのものを達成してきたMCUにとって、これはこうした批判は既に乗り越えられたものだという宣言でもある。実際にこの種の批判のほとんどが、こうしたシリーズの内実を知りもしない人々の偏見から生まれたものであることを、当然シリーズを追ってきた観客は既に理解しているはずだ。

　この自己批評は、映画の作り手が自らの手法の本質が、見たいものだけを見て（フィルターバブル）、信じたいものだけを信じる（フェイクニュース）大衆の性質に訴求したものであることに自覚的であったことを証明している（そうでなければ、このレベルの自己批評はできない)。

そう、ドナルド・トランプが実現不可能な公約を掲げ、Twitterでヘイトスピーチ的な発言を連呼するのと同じように、ディズニーもまたこの情報環境下で、人々が見たい夢を見せているのだ。砂糖菓子のように甘い多文化主義の夢を見せているのだ。テレビのリアリティ・ショーで人気を博す実業家タレントであったドナルド・トランプはいわば映像の世紀から現代に現れた亡霊のようなものだ(2014年から現代にタイムスリップしてきたサノスのように!)。その卓越した力で、現代の情報環境下だからこその、劇映画的アプローチを洗練させ、人々を物語に、イデオロギーに回帰させている。それが、旧きよきアメリカ合衆国への回帰か、リベラルな多文化主義を擁護するニューヨークやシリコンバレーといったグローバル都市の価値観の体現かの差しか(あえて、こう書く)両者のあいだに違いはないのだ。

その手法と背景にある世界観において、政治的、思想的には正反対の位置にあるディズニーとトランプは奇妙に重なり合う。いわばそれは、現代におけるインターネット・ポピュリズムの手法だ。フィルターバブル的な情報環境によって、人々は見たい夢だけを見て、信じたい物語だけを信じるのだ。ネットワークの21世紀の反動として、境界のない世界への反動として、映像の20世紀に、境界のある世界に回帰するのだ。もちろん、営利企業であるディズニーはそれで一向に構わない。そして僕たちがこの21世紀におけるディズニーの戦略から学び得るものがあるとするのならそれは、今日の情報環境下における物語の再活用方法だろう。

ここで問われるべきは、リベラルで多文化主義的なドナルド・トランプ（的な手法を取るリーダー）は民主主義社会の救世主たり得るかという問いだ。世界中で発生している見たいものだけを見て、信じたいものだけを信じ、境界のある世界へ逆行する人々の物語への回帰の欲望を逆手に取って、リベラルで多文化主義的な物語を展開し、人々を境界のない世界へ誘うプロジェクトの実現可能性だ。

果たしてその物語の内実が、リベラルで多文化主義的なものであれば、インターネット・ポピュリズムは民主主義の救世主たり得るのか。悪しき物語の拡散に対し、よき物語の拡散で対抗することは可能なのか。残念ながら、少なくとも現時点ではこの問いには懐疑的な見解を述べざるを得ない。なぜならば、2011年の「アラブの春」が、インターネット・ポピュリズムによる民主主義の擁護というプロジェクトが何をもたらしたか、僕たちは既に知っているからだ。

もちろん、それは当時のエジプトの、リビアの、チュニジアの大衆たちの語り得る物語が未熟で洗練を欠いていたに過ぎない、と考えることはできるだろう。しかし、この歴史的な事実が、フィルターバブル下でフェイクニュース的に拡散する動員力を逆手に取るというアプローチそのものの限界を示したことも明らかだ。ソーシャルネットワーク上の物語に動員される主体は、見たいものだけを見て、信じたいものだけを信じる主体は、リベラルで多文化主義的な物語に簡単に没入する代わりに、ドナルド・トランプの語る物語にもＩＳの語る物語にも簡単に没入してしまうのだ。

「大きな物語」から「大きなゲーム」へ

対してGoogleから派生していったナイアンティックのゲームたちもまた、世界中の人々を夢中にさせている。ジョン・ハンケの目論見では、ゲームの力で人々を屋外に連れ出し、検索可能になった世界を歩き回らせれば、人間は一定の確率で歴史や自然と接続しクリエイティビティを発揮するようになるはずだ。ハンケの一連のプロジェクトもまた、このネットワークの世紀における現時点でもっとも洗練されたインターネット的アプローチとしてその可能性と限界を、射程距離を体現している。

そもそも、Googleにとってのインターネットは、そのソーシャルメディアとの距離感にこそ特徴がある。２０１１年リリースのGoogle＋をはじめとする、Googleのソーシャルメディアは端的に述べて貧弱だ。驚く必要はない。世界のすべてを情報化し、検索可能とすることで、人間と世界を直接接続する。それがGoogleにとっての（少なくともジョン・ハンケにとっての）インターネットであることは既に述べた。家族や企業、あるいは地域コミュニティからテーマコミュニティへ、社会の基礎単位を移行するソーシャルなネットワークはGoogleの考えるインターネットとは距離のあるものなのだ。ここには決定的な切断線がある。FacebookやTwitterといった、ソーシャルネットワーキングサービスが個人と世界とのあいだにある社会的なコミュニティを既存のものから別のものへと置き換えるその一方で、Googleは個人と世界とを直接接続しようとしている。Google MapsからGoogleストリートビューへ、そして『Ingress』から『ポケモンGO』へ。Googleは、そしてナイアンティックはこれらのサービスで一貫して人間と世界とを直接的に接続することを試みている。

この両者の差異の本質にあるものは（他人の）物語性の有無だ。社会的なコミュニティは、それを支える物語を必要とする。たとえば国民国家には建国神話や革命といった、国民のアイデンティティを規定する物語が必要とされる。スローフードの愛好家たちのサークルでは、ファストフードへの軽蔑と自分たちの文化的な豊かさを誇ることで生まれる物語が求心力を生む。人々はその（他人の）物語を受け入れることで、コミュニティのメンバーシップを得る。そして人々はその社会的なコミュニティを媒介として、世界と接続される。

対してGoogleが、ナイアンティックが試みているのは、個人があくまで自分の物語の延長線上に世界と接続し（Google）、そしてその支援装置としてゲーミフィケーションを施すことだ（ナイアンティック）。ここで人々は日常の生活の中でいつの間にか自然や歴史と接続する。他人の物語に感情移入することなく、情報技術で世界と個人が接続された結果、そこに自分の物語があとから発生する。つまり「大きな物語」ではなく「大きなゲーム」でここでは個人と世界が結ばれているのだ。

今日の民主主義では、基本的に私的なものと公的なものは物語（イデオロギー）によって、接続されている。日々の生活に追われる「大衆」が、その生活を守るために政治への参加が必要であることを啓蒙され、「市民」になる。この回路を通じて、私的なものと公的なものが接続され、民主主義が機能する。

しかしその建前は早々に破綻し、無知蒙昧な大衆を想定したシステムと、教養化された市民を対象にしたシステムを併走させその二者のバランスを取る二重構造が近代社会の常となった。熟議とポピュリズム、上院と下院、参議院と衆議院だ。そして、いま直面しているのはこの二重構造の破綻なのだ。

対してGoogle／ナイアンティックの代表する世界と個人、公と私、政治と文学を物語ではなくゲームで結ぶ手法は、より正確には日常生活にゲーミフィケーションを施すことによる自動接続を試みる手法は人間を「市民」や「大衆」といった極端に能動性の高い／低い状態に落としこむことなく、そのままの姿のままアプローチできることにそのアドバンテージがある。

他人の物語から自分の物語へ、大きな物語から大きなゲームへ、個人と世界とを接続する回路は情報環境の進化とともに変化しつつあるのだ。

そしてディズニー的なアプローチ——大きな物語の再構築——が現代的なポピュリズムの罠から逃れられないように、Google的なアプローチ——大きなゲーミフィケーション——もまた、ある意味において暗礁に乗り上げている。Googleの理想を字面通り受け取るのなら、本来はGoogle Mapsが整備され、実空間そのものが検索可能になればその時点で、人々は世界（自然と歴史）に接続されるはずだ。

しかし大抵の人間は、Google Mapsを世界と出会うためではなく、出会わないために用いている。目的地を検索欄に入力し、最適な到達ルートを示されたユーザーたちはそのままタクシーに飛び乗り、車窓の風景に目もくれない。だからこそジョン・ハンケ率いるナイアンティックは、そこにゲーミフィケーションを施す。彼らは世界中の史跡名勝や、公共建築物を「ポータル」と名付け、ユーザーたちを青と緑の二軍に分割した。そして両者に陣取りゲームをプレイさせた（『Ingress』）。両軍のプレイヤーたちは自分のポータルを防衛し、敵軍のポータルを陥落させるために世界をただひたすら歩き回ることになった。そうすることで、彼らは自動的に自然と歴史に接続していった。だが、広く知られているように『Ingress』のユーザーは都市部のアーリーアダプターに著しく限定されることになった。既に「境界のない世界」に暮らし、その恩恵を受けている人々にしか、ハンケの手は届かなかったのだ。そしてその結果導入されたのが、ピカチュウやゼニガメやヒトカゲといったモンスターたちだった。こうして『ポケモンＧＯ』は、ＭＣＵに対抗し得るグローバルなポピュラリティを獲得した。もはや、世界中に出現したモンスターたちを排除する方法は、インフィニティ・ストーン以外存在しないだろう。いや、サノスがたとえどのような力を行使しようとも、サイバースペースから無限に出現し、この現実を拡張するモンスターたちを完全に排除することは難しいだろう。

だが、そのために『ポケモンＧＯ』はGoogle的なものの本質にある直接性を減衰させつつある。インターネットの攻略サイトを頼りに、ＡＲモードをオフにして限定出現の着飾ったピカチュウを代々木公園で乱獲するユーザーは果たして、ハンケの狙い通り自然や歴史と直接的に接続されていると言えるのだろうか。Google的なものによって整備された情報環境によって世界に直接的に、素手で触れることができる人物にはおそらく最初からゲーミフィケーションは必要ない。ピカチュウやフシギダネの支援を必要としないのは一握りの才能に恵まれたエリートだ。まるで、グローバルな情報産業というゲームのプレイヤーとして世界に素手で触れることのできる人が、ほんの一握りのエリートであるように。

そう、ディズニー的なアプローチが（どれほどその物語が内容的に洗練されていても）本質的にポピュリズムであるのと同じように、Google的なアプローチは（どれほどそのゲーミフィケーションが優れていても）本質的にエリーティズムなのだ。環境整備によって、世界と接続し得る個人の発生確率を上げていくというGoogle的なアプローチは、必然的にエリーティズムに陥る。

だからこそ『Ingress』から『ポケモンＧＯ』への「進化」は、その発生確率を上げることではなく、母数を拡大することでの成功例の増加を試みるプロジェクトと化している。ナイアンティックのゲームに先鋭化されたかたちで表れたGoogle的アプローチはいま、その直接性とポピュラリティとのトレードオフという壁にぶつかっているのだ。

文化の四象限

僕たちはいま、ふたつの知恵を発見している。本書ではそれをそれぞれ比喩的にディズニー的アプローチ、Google的アプローチと呼ぼう。そして前述したように僕はこのどちらのアプローチにも懐疑的だ。正確に述べれば、どちらのアプローチも直面している問題への解答にはならない。

人々の「信じたい」欲望を逆手に取ってよりよい物語により巨大な動員力を与えよと主張することは、要するに考える力をもたない大衆から詐取せよと述べているに等しい。他人の物語を与えられて、それを無批判に自分にインストールしてしまう人々は、そのときインストールした物語がリベラルな多文化主義であったとしても、環境が変わればトランプやＩＳの思想を無批判にインストールしてしまう。こうしたユーザーの効率的な囲い込みこそを必要としている人も多いだろう。けれども、ここで問われているのはそんな想像力の要らない領域の問題ではない。

あるいはよりよい環境を整備することによって、人々をより賢明にすることが可能だと考えることも、既に破綻した夢だ。そもそも、このアプローチが有効ならば、ブレグジットも、ドナルド・トランプの勝利も存在しなかったはずだからだ。

ではどうするのか。ここで改めて議論を整理しよう。これまで本章では他人の物語（ディズニー）と自分の物語（Google／ナイアンティック）という軸で議論を進めてきた。そしてその結果として暗礁に乗り上げてしまっている。そこで、ここでもうひとつ軸を付け加えようと思う。それは非日常―日常の軸だ。先の20世紀とは劇映画が代表する「他人の物語」への感情移入装置によって社会が維持されていた時代であった。そしてこの20世紀とは同時に情報技術の日常化の時代でもあった。19世紀末に産声を上げて、20世紀前半の世界を席巻した映画（映像）とラジオ（放送）はやがて、幸福な結婚を迎えテレビという魔法の箱として20世紀後半を生きた人類の日常の中心を占めていった。そしていま、僕たちは日常の時間のかなり大きな割合をテレビを見る（他人の物語）ことからインターネットに発信する（自分の物語）ことに移行させている。そして20世紀末に普及をはじめたインターネットは、一握りのマニアの愛好したパーソナルコンピューターから大衆化された携帯端末（スマートフォン）へかたちを変えることで僕たちの日常に進出していった。

そう、キーワードは「日常」だ。非日常への動員（ポピュリズム）に対抗し得る回路を作るためには、日常へのアプローチが必要なのだ。

日常へのアプローチだけが、支えられるものが存在する。この現実は現代におけるテロリズムについて考えるとよく分かる。一昨年のことだ。僕はある仕事でパリに出張していた。そして到着したその日にテロに遭遇した。より正確には遭遇していることに気がつかなかった。僕が現地で合流した仕事相手とレストランで会食しているとき、ほんの一区画離れた場所でテロが発生し、1名だけだが亡くなった人もいた。僕はそのことにまったく気づかなかった。報道でテロのことを知ったのは発生から数時間後のことで、発生直後はなにか騒がしいなと思いながら呑気に食事と打ち合わせを続けていた。

そして驚いたのは翌朝のパリが当たり前のように日常を迎えていたことだ。パリの市民たちはその日の朝も当たり前のように街を歩いていた。当たり前のようにカフェで朝食を取り、新聞を広げていた。前述したように僕はランニングが趣味で、出張に行くと必ず朝は早めに起きてその街を走る。その朝はさすがにどうなのだろうか、と一瞬思ったけれど僕も恐る恐るランニングウェアに着替えて、走るために街に出た。市内にはよく見ると小銃を構えた警官のような人があちらこちらでウロウロしていたけれど、その割には驚くほど緊張感がなかった。この街は（それはとても不幸なことかもしれないが）テロがすっかり日常になってしまっているのだと僕は実感した。そして、僕はそれがこの街の「強さ」なのだとも思った。

新聞とラジオが20世紀前半における総力戦の動員のツールとなり、テレビが20世紀後半の冷戦下の国民統制を支えたことは前述した。メディアは戦争の形態を決定する。今日のテロがインターネットによるメッセージの拡散と結びついていることは偶然ではない。

現代におけるテロとは敵国のメディアをハックすることを目的とした破壊行為だ。たとえ相対的に小規模なものであったとしても、それが大都市の中心部であればあるほど、市民の日常の生活の現場に近ければ近いほど、その破壊と殺傷はその国のマスメディアに大きく取り上げられる。たとえマスメディアが取り上げなくとも、人々はテロへの恐怖と怒りから、あるいは興味本位からテロリストのメッセージを検索し、ソーシャルメディアでシェアしてしまう。比喩的に述べれば、テロリストたちは自分たちのYouTubeを効果的にシェアさせるために、敵国の新聞やテレビを利用する。テロはそのための手段なのだ。

テロが日常性の破壊による敵国のメディアのハックだとするのならば、これに対抗する手段はひとつしかない。それはテロに屈することなくいつも通り日常を過ごすことだ。テロそのものに対しては実力で制圧する以外なく、テロを生む構造にもケアは必要だ。しかし、起きてしまったテロの効果をゼロに近づけるために有効なのはたとえ前の晩にどのような惨劇が発生したとしても、街中に武装警官がウロついていたとしても、当たり前のように朝食を食べてランニングをすることなのだ。僕はパリの街を走りながら、そんなことを考えていた。非日常ではなく、日常のレベルで僕たちは強く、豊かにならないといけないのだ。

いま、僕たちの心を動かす文化は四つのカテゴリーに分類できる。

横軸に非日常―日常の軸を、縦軸に他人の物語と自分の物語を取ると第一象限の非日常×他人の物語が20世紀前半に普及した劇映画やニュース映画だ。このとき人類は平面の中の他人の物語に感情移入すること、そしてそれを社会で共有し一体感を味わう快楽を覚えた。

第二象限の日常×他人の物語を実現したのが映像技術と放送技術との融合、つまりテレビだ。20世紀後半に普及したこの魔法の箱によって、人類は他人の物語への感情移入という文化を祝祭から生活の一部へと変えた。テレビからNetflixやHuluに代表される動画ストリーミング配信へ。こうしているいまも僕たちの日常には常に劇映画の描く他人の物語が付き添っている。

21世紀に入りインターネットの普及に代表される情報環境の変化は他人の物語から自分の物語へ、人類の関心の重心を大きく移動させた。考えてみれば当たり前のことだが、(それがどんなにユニークでドラマチックなものであったとしても)他人の物語に感情移入するよりも、(それがどれほど凡庸で無味乾燥なものであったとしても)自分の物語を語るほうがより大きな快楽を人間にもたらす。批評家である僕は他人の物語に自己が侵食される快楽を擁護し続ける。しかしインターネットが全人類に与えた発信能力は、自分の物語を語る快楽をより簡易にし、そして圧倒的に増大させた。

CDの売上が減退する一方でフェスの動員力は伸び続けていることが示すように、「現場」をもたないアニメから「現場」への参加が前提となる今日的なライブアイドルへとオタク文化の中心地に移動が見られたように、インターネットの登場はむしろテキストや音楽、映像の受信を簡易かつ供給過剰にすることによってその価値を暴落させ、人々は自分だけの体験を求めて現場に足を運び参加するようになる。そして自分の物語をソーシャルメディアに発信するのだ。これが非日常×自分の物語の第四象限だ。今世紀のライブエンターテインメントの復権の流れはここに位置する。ディズニーランドから渋谷のハロウィンまで、ソーシャルメディアの動員力と、それが実現する「自分の物語」としての発信によって、このもっとも旧い文化の領域は決定的にアップデートされたのだ。

そしてその結果残された第三象限の日常×自分の物語がいま、手つかずのフロンティアとして僕たちの前に広がっている。今世紀に入り競技スポーツを「観る」ことから、日常の習慣としてのライフスタイルスポーツ（ランニング、ヨガ）を「する」ことへの移行が起きているが、この現象も僕たちがいま、日常×自分の物語を欲望しはじめていることを示している。本章で取り上げたナイアンティックの『Ingress』や『ポケモンGO』といった位置情報／拡張現実ゲームは第四象限（非日常×自分の物語）のノウハウをこの最後に残された第三象限（日常×自分の物語）に情報技術を用いて応用するものだと考えればよい。もちろん、前述したように彼らのアプローチは偉大な達成であると同時にその限界もまた既に露呈されている。個人と世界とを情報技術で直接接続するというその試みは、能力と運に恵まれた一握りの「Anywhere」なクリエイティブ・クラスにしか作用しない。それを

「Somewhere」な大半の人々に作用させるには本来は不必要なはずの媒介としてのモンスターたちを必要とする。そして媒介としてのモンスターたちに依存すればするほど、肝心の個人と世界との距離は広がってしまう（「他人の物語」の要素が入りこんできてしまう）。スマートフォンの中のピカチュウに意識が集中することは、目の前の景色を遠ざけてしまう。いま必要なのは媒介なく個人と世界とを直接つなぎ、それに素手で触れているという実感を、自分の物語を、日常の領域で成立させることなのだ。Googleともナイアンティックとも異なる日常の、自分の物語へのアプローチをいかに実現するのかが、いま、問われているのだ。

さて、僕がここで現代のエンターテインメントの地図を描き直したのは、それはこの地図が同時に今日における個人と世界とをつなぐ装置のカタログにもなるからだ。個人と世界を接続するそのとき、僕たちはいかなる回路を用いるべきなのか。本章で提示した現代文化の四象限は、この拡張現実の時代に僕たちが取り得るアプローチの所在を示している。

非日常×他人の物語（映画）、日常×他人の物語（テレビ）、日常×自分の物語（生活）、非日常×自分の物語（祝祭）の四象限を考えたとき、いま僕たちがアプローチすべきは第三象限の日常×自分の物語（生活）の領域だ。

なぜならば、この第三象限（日常×自分の物語）へのアプローチこそが、今日の暗礁に乗り上げた民主主義を再生し得るからだ。

第一象限の非日常×他人の物語（権威主義）から第二象限の日常×他人の物語（テレビポピュリズム）への移行が、20世紀に発生した現象だ。そして第四象限の非日常×自分の物語の領域で行われたのが２０１０年代初頭のソーシャルメディアによる「動員の革命」（インターネット・ポピュリズム）だ。だとすると、残された第三象限の日常×自分の物語からの政治的なアプローチだけが、まだ十分には試みられていない。Facebook や Twitter といった今日のソーシャルメディアの多くが日常から非日常への「動員」のツールとして使用された結果として、民主主義を破壊しつつある。自分の物語に照準を定めながら、かつ日常に留まり続けるアプローチが、それも Google ／ナイアンティックとは異なるかたちでいま、求められているのだ。

ここで本書が前章で提案した「民主主義を半分諦めることで、守る」ための三つの提案を思い出してもらいたい。第一の提案（民主主義と立憲主義とのパワーバランスを、後者に傾ける）と第二の提案（選挙でもデモでもないあたらしい民主主義の回路を情報技術で構築する）は共に、第四象限の非日常の領域から第三象限の日常の領域へ、自分の物語の重心を移動させるためのアプローチだ。第一の提案は、既存の選挙制度とメディア状況のもたらす選挙という祝祭の熱を冷まし、非日常から政治を取り戻すための緩和策だ。そして第二の提案は非日常ではなく日常に、人々の日々の働きの延長線上に政治への回路を（自分の物語として）新たに創設する試みだ。したがって第三の提案（メディア状況への介入）もまた他のふたつと同様に、日常×自分の物語の領域に対して行われなければならない。

本書が提案する「遅い」インターネットはその実現方法のひとつである。ではなぜ「遅い」インターネットなのか。なぜここで「速度」が問題なのか。それを次章では少し変わった角度から考えてみたい。

非日常に動員するのではなく、日常に着地したまま個人が世界に接続すること。外部に越境することなく内部に潜ること。そしてそうすることではじめて人間は（たとえばインターネットのもたらす）世界に素手で触れられる幻想をそれに溺れることなく受け止めることができる。しかしそれは途方もなく難しいことだ。

だが僕の知っている限りたったひとりだけ、この問題を、それも半世紀ほど前から考え続けてきた人物がいる。

そして、その人物はつい最近まで生きていた。晩年はあまり世間から顧みられることはなかったが、彼はその人生の最後まで大学や企業の保護のない在野の一論客として世界に対して発言し続けた。彼の遺した言葉にこんなものがある。「もし〝民主制〟になんらかの価値があるとすれば、それは崇めなくてもよいからだ」――この言葉には、いま僕たちが必要としている問いの立て直しがある。なぜならば僕らの民主主義が、それでも手放すことができない前提としての民主主義がいま、僕たちの社会に大きく影を落としているからだ。この現実と向き合うための問いの立て直しが、いま必要なのだ。

「ぼくがたおれたらひとつの直接性がたおれる」［※20］――そして詩人でもあった彼は、こんな言葉も残している。彼は人間が人間である限り世界に素手で触れることができるという幻想をどうしても求めてしまうことを前提に思考していたのだ。そうでなければ、このような言葉は出てこないはずだ。Googleの生まれるおよそ半世紀も前から、彼は世界に対する直接性の問題を、「自分の物語」の問題を論じ続けていたのだ。それも「日常」の生活者の視点から。

吉本隆明――かつての学生反乱の季節に、若者たちに絶大な影響力を行使したイデオローグだ。

第3章

21世紀の共同幻想論

いま、吉本隆明を読み直す

「戦後最大の思想家」吉本隆明は、いまとなってはほとんど読み返されることのない忘れられた思想家だ。そして本章ではそんな「忘れられた思想家」の思考を呼び戻す。たしかに吉本隆明の思想は一度その役割を終えたものだ。しかし、ある視点から再読することで吉本の遺した議論はまったく別の顔をもって蘇るのだ。そしてその「ある視点」とは何か。それは本書がこれまで論じてきた情報社会論の視点だ。吉本隆明の仕事は21世紀のいま、情報社会論として再読されるべきなのだ。もちろん、ここで扱う吉本の仕事はその膨大な遺産のごく一部に過ぎない。しかし、重要なのは吉本の再評価ではなく、彼の遺したオリジナリティの極めて高い仕事の一部が現在の情報社会を考える上で、とてつもなく大きな手掛かりを与えてくれることのほうだ。

吉本隆明の思想の最大のキーワードは「自立」だ。自立する？　しかし、何から？　それはあらゆる共同幻想から、だ。人類が社会を機能させることができるのは、虚構を用いることができるからだ。魂、神、そして国家――物理的には存在せず、幻想としてしか存在しないものを人々が共有することによって、はじめて社会は機能する。そして、吉本隆明はこの社会を構成する虚構を共同幻想と名付けた。では、なぜ、共同幻想から自立する必要があると吉本は考えたのか？

それは吉本が生きた20世紀が、共同幻想の肥大が個人を押しつぶしていた時代だったからだ。20世紀前半は全体主義の台頭と、その結果として発生した二度の世界大戦による未曽有の大量死の時代であった。当時の全体主義を構造的に支えたのが情報環境、つまりラジオ（放送）と映画（映像）の発展であり、精神的に支えたのがマルクス主義やナチズムに代表されるイデオロギーだった。これらのイデオロギーは国家や政党の共同幻想を強化し、個人の思考を停止させる。ナチスのホロコースト、旧日本軍の南京事件、スターリンの粛清、そして毛沢東の文化大革命まで――20世紀の前半から中葉に発生した凄惨な大量虐殺の記録を参照すれば、イデオロギーによって思考を停止し、世界を善悪に二分してしまった人間たちが何をし得るのかは明白だ。20世紀とは、情報環境の進化に踊らされた人類が共同幻想を肥大させ危うく自らを滅ぼしかけた時代だったのだ。だからこそ、吉本隆明はあらゆる共同幻想からの自立を唱えた。そう、「あらゆる」共同幻想から、だ。その射程には、国民の動員を目的に国家の語るイデオロギーだけではなく、その打倒を主張する反権力のイデオロギーをも含まれていた。

吉本隆明の原体験は１９４５年8月15日、つまり敗戦のあの日だ。軍国主義を素朴に信奉する少国民の精神の延長上に大人になろうとしていた吉本青年はその日を境界線に、まるでスイッチのオンとオフが切り替わったように、大人たちが戦後民主主義者に変貌していったのを目の当たりにする。そしてこのとき彼はこれまで信じていた世界が足元から崩れ去っていったような感覚に陥ったのだという。この原体験は吉本に決定的な確信を与えた。それは人間は共同幻想から自立することでしか解放されないという確信だ。あの夏、この国の人々は天皇主義者であったにもかかわらず、戦後民主主義者にあっさりと転向してしまったのではない。天皇主義に依存してしまう人間だからこそ、戦後民主主義にも依存してしまったのだ。寄りかかるものがなければ生きていけない人には寄りかかるべき大樹が必要で、それがクヌギなのかカシなのかは本質的な問題ではないのだ。

ではいかにして人は自立し得るのか？　その条件を探るために吉本は原理的な思考を展開した。吉本は共同幻想からの自立の可能性を模索するためにそもそも共同幻想とは何か、そして人類史において共同幻想がどのように機能していたのかという問題から出発したのだ。それが１９６８年、まさに「政治の季節」の極相に刊行された吉本の代表作『共同幻想論』だった。

21世紀の共同幻想論

『共同幻想論』で吉本隆明は人間がその世界を認識するために、三つの幻想が機能すると主張した。それが自己幻想、対幻想、そして共同幻想だ。自己幻想とは文字通り自分自身に対する像、つまり自己像のことだ。対幻想とは1対1の関係について、その二者があなたと私はこのような関係なのだと信じる幻想だ。共同幻想とは集団が共有する目に見えない存在のことだ。そして、この当時の吉本が提示した三幻想の区分は今日の情報社会を考えるにあたって、極めて有効な視座を与えてくれる。なぜならば、この三幻想は今日の情報社会——とりわけインターネット上のコミュニティを形成するソーシャルネットワーキングサービス——の基本構成と合致しているからだ。

そう、自己幻想とはプロフィールのことであり、対幻想とはメッセンジャーのことであり、そして共同幻想とはタイムラインのことに他ならない。卑近な例を挙げるのなら、自己幻想の肥大した人間はFacebookに依存し、対幻想に依存する人間はその対象となる人物とのＬＩＮＥに執着し、そして共同幻想に同化する人々はTwitterに粘着する。自分がいかに社会的に、文化的に充実した生活を送っているかをアピールしたい人々は、常にFacebookのウォールに著名人とのセルフィーや意識の高いイベントへのチェックインを投稿し、この人にだけは認められていればよいと依存してしまう人々は四六時中ＬＩＮＥの既読マークを気にしながら生活している。そして、社会に対して「発言」することで（その多くは、失敗した人物や目立ちすぎた人物への、集団リンチ的な苦言として表現される）何ものでもない自分を底上げしたがる人々は常にTwitterのタイムラインの潮目を読んでいる。そう、人類はいつの間にか吉本の提起した三つの幻想に基づいて情報社会を構築しつつあるのだ。

もちろん、シリコンバレーのプラットフォーマーたちが吉本の議論を参照して現在のインターネットを作り上げたのではないし、吉本が未来のインターネットの発展を予見していたのでもない。吉本はあくまで、20世紀という政治的なイデオロギーが個人を圧殺していた時代に、自立の可能性を模索していただけだ。このときに考案された、人間が社会を認識するときに出現する三幻想という発想が極めて正確であったことを今日のインターネットの発展が証明しているのだ。情報技術の発展は、半世紀の時間を経て吉本隆明の発見した原理の有効性を証明しつつあるのだ。

そして吉本隆明がもっともその影響力を行使したのは１９６０年代、世界的な学生反乱の季節とその終局だった。１９６８年の全共闘運動をその極相に、国内でも学生反乱は退潮をはじめた。このとき吉本の「自立」の思想は、学生たちをイデオロギーを通して世界を把握する思考から解放する役割を果たした。結果的に吉本の思想は、革命に敗北した学生が戦後日本的な企業人として、社会の歯車となるその背中を押したのだ。このとき、吉本が自立の根拠に置いたのは対幻想だった。『共同幻想論』は、『遠野物語』『古事記』というふたつの古典を素材に、国家の成立条件を論じたものだ。つまり家族の集合体である氏族や部族から、家族でも友人ですらない人々をも糾合して国家を形成するために何が必要かを解き明かしたものだ。吉本の説明はこうだ。家族は対幻想の集合によって形成されている。この対幻想にはふたつのタイプが存在する。それは夫婦親子的なものと、兄弟姉妹的なものだ（性愛的なものと友愛的なもの）。前者（性愛的な対幻想）は、まるでＬＩＮＥのトークが第三者には覗き見ることができないように対になり閉じる。しかしその記憶は世代を経て受け継がれ、時間的な永続性がある。対して後者（友愛的な対幻想）はTwitterのフォローのように公開される。その関係は場所を越えて模倣され、空間的な広がりをもつ。ここで社会の規模が拡大すると人間は国家を擬似人格と見なして、国家と国民との間に親子関係を結ぶ。そして国民たちは同じ親（国家）をもつ兄弟姉妹となる。この二種の対幻想を組み合わせる操作によって、本来はまったく異なるものであるはずの対幻想が共同幻想に拡大される。この操作を担ったのが古代においては宗教であり、そして現代においてはイデオロギーだ。

　では、この（メディアと）イデオロギーによってかつてなく強化された共同幻想からいかにして「自立」するのか。夫婦親子的な、つまり性愛的な対幻想にアイデンティティを置くことで共同幻想から自立できる、というのが吉本が当時示した指針だ。性愛的な対幻想は、それ自体で閉じた世界に完結する性質をもつ。たとえそれが世界にとっては意味がないことだったとしても、私はあなたの行為や存在を承認するのだという物語で二者関係に閉じる。この機能を用いて、共同幻想から自立するのだ。

　60年代末の世界的な学生反乱とその敗北は、世界中の若者にその敗北を正当化する思想の需要を生んだ。そしてその役割を日本で担ったのが吉本だった。彼らの敗北は、国民国家と資本主義に対する敗北である以上に自分たちの革命に対する敗北だった。国家権力からの解放を主張する運動体もまた、権力を再生産していく。権力そのものを否定する思想を手放すことができない以上、この問題を彼らは解決することができない。そしてほとんどの運動は自壊していった。

　吉本隆明はいわゆる団塊世代を中心とした全共闘の活動家やその支持者たちがヘルメットを脱ぎ、ゲバ棒を捨て、スーツを着込みネクタイを締めて戦後日本的な企業戦士に転向していくときに、その自己正当化の論理を与えた存在だった。その転向を資本主義と国家権力に対する敗北ではなく、マルクス主義や戦後民主主義といった（当時の）進歩的な思想を含むあらゆる共同幻想からの「自立」であるという方便を、つまりささやかな家庭を築き、守るための選択こそが革命による社会変革よりも本質的な人間の解放（自立）であるという理論武装を吉本は当時の若者たちに与えたのだ。

それは前章までの議論に照らし合わせるのなら、革命という非日常（共同幻想）から、生活という日常（対幻想）へ、アイデンティティの置き場を移行するという処方箋だった。

革命という非日常への動員は、同時に当時の若者たちにとって思想家や政治家たちの演じる歴史という物語への、そして遠い海の向こうで虐げられている開発途上国やベトナムをはじめとする東西の代理戦争の犠牲となった人々の物語への、つまり「他人の物語」への同一化でもあった。対して吉本が後押しした家族と生活を軸とする日常への回帰は、同時に「他人の物語」への感情移入から就職や結婚、労働や育児という「自分の物語」への回帰でもあった。本書が吉本隆明に注目するのは、吉本がおよそ半世紀前から一貫して「日常×自分の物語」の領域へのアプローチを考えてきた思想家だからだ。

吉本隆明の60年代のアプローチ、つまり共同幻想から対幻想へアイデンティティの足場を移行することは、本書の文脈に即せば「非日常×他人の物語」（第一象限）から対極にある「日常×自分の物語」（第三象限）へ移行するプロジェクトだったと言える。

だがこのアプローチには決定的な、そしてあまりにも安易な落とし穴があった。この種の団塊世代の転向者たちの多くが、今度は企業や団体など職場の共同体に埋没し歯車としてその思考を停止させていったことはもはや全世界の知るところだ。この思考停止と共同体への埋没は、20世紀の工業社会においてはむしろ高い生産性を発揮し、「ジャパン・アズ・ナンバーワン」と呼ばれた日本経済の短い覇権を支えた。しかし今日の21世紀の情報社会において集団主義的な日本の企業文化はイノベーションの可能性を自ら摘み取る非創造的な体質として、むしろ軽蔑と嘲笑の対象になっている。半世紀前の転向者たちは、誰ひとりとして本質的には「自立」できなかったのだ。

なぜ、このような現象が発生したのか。彼ら（当時の日本社会はいま以上に男性中心主義的であった）の多くは、その対幻想の対象とした妻を専業主婦として郊外の建売住宅の中に軟禁しながら、自分はこの愛する家族のために会社においては思考停止して歯車になることを受容するのだというヒロイズムを共有していた。当時から70年代にかけて既に、山口昌男や上野千鶴子らによって吉本隆明の想定する対幻想は近代の工業社会下の核家族のモデルに過ぎない（それは決して普遍的な家族像ではない）ことが指摘されていた［※21］が、対幻想を足場にした「自立」とは実質的には性差別による尊厳の獲得（社会的な自己実現は事実上放棄して、その代わりに妻とその子を守ることにアイデンティティを見出す。そして、そのために守られるべき存在であり続けるために妻の自立は認めない）に過ぎなかったのだ。そして彼らは「妻子を守る」ことを免罪符にして会社組織における（それはかつて彼らが批判した執行部の命令通りに虐殺に手を染める党員と、何ら選ぶところがない）思考停止を自己正当化していった。

そしてこうした組織の多くはむしろトップダウンの企業理念ではなく、ボトムアップの「空気」が支配する共同体だった。彼らに守られる妻子たちもまた郊外の建売住宅の並ぶ住宅地とその中に建つ学校で、町内会や学級というムラ社会に、ボトムアップの「空気」の支配に埋没し、その思考を停止させていった。そこでは「普通の」「人並みの」価値観が正当とされ、出る杭は集団で打つ同調圧力が強く働いていた。戦後の日本人たちはたしかに国家や前衛党のトップダウンによるイデオロギーからは自由になった。しかしボトムアップで作り上げられる企業や学校などの空気の支配には無防備に埋没していったのだ。

この戦後の中流家庭に広く見られたサラリーマン男性たちのスタイルは、現代的に言い換えればソーシャルメディアの匿名アカウントを使い分けるように職場での自分と家庭での自分を使い分けるスタイルだ。この時期に吉本の提示した思想的な処方箋は団塊世代の父たちに、建前としての自立と本音としての埋没を与えていったのだ。

吉本が半世紀前に唱導した対幻想を根拠にした自立はふたつの問題から、失敗に終わった。

第一にその「自立」とは、性差別的に女性を所有することでの家庭内における擬似的な「自立」ごっこに過ぎず、そして第二に、彼らはその家庭での「自立」ごっこを建前に社会（職場）での本音としてこれまで以上に強く共同幻想に埋没していった。吉本は人間がどのコミュニティでのどの場面でも同一の人格として行動するという前提を信じすぎていたのだ。

大衆の原像「から」自立せよ

トップダウンのイデオロギーからの「自立」が、むしろボトムアップの共同体への「埋没」を誘発してしまう――吉本隆明がこの時期に展開した「自立」の思想の限界はここにある。

このジレンマは現代日本を生きる僕たちに戦後民主主義像そのものの修正を要求する。たとえば、吉本と並び戦後日本最大の思想家と言われる丸山眞男は、大戦期の日本社会の分析を通じて、日本という文化空間における市民の主体的意識の欠如を指摘した。先の大戦において、日本が無謀な開戦と戦争継続を選択していったとき、日本の軍部には明確な戦争指導者は存在しなかった。そこに存在していたのは「空気」ともいうべき、ボトムアップの、それも暗黙の合意形成であり、そのため当時の日本軍は誰も責任者としての自覚のないまま急速に戦争になだれ込んでいった。丸山はこうした分析から社会的なコミットメントの責任を決して引き受けることのない「無責任の体系」ともいうべきものが日本社会を支配していることを主張したのだ［※22］。

「無責任の体系」が機能する日本社会においては、実際には個々のコミュニティにおける暗黙の了解（文脈）によって合意形成がされているのだが、しかし、その結果、責任の所在が明確にならない。正確には責任の所在を曖昧化することでスムーズな合意形成を行っているのだが、こうした「無責任の体系」を制度化したのが戦前の天皇制であると考えられる。実際はコミュニティの「空気」、つまりコミュニティ内部でのボトムアップ的な合意形成が意思決定を担っているにもかかわらず、その責任の所在を曖昧化するために「天皇」が方便として用いられるのだ。

丸山眞男は終生「戦後民主主義の祭祀（さいし）」として、この「無責任の体系」が象徴する前近代性を批判し続けた。具体的には、戦後民主主義というアメリカに与えられた偽りの解放を積極的に自分たちのものとして再解釈し、その肯定的な側面（たとえば憲法9条の掲げる平和主義）を抽出していくことを推奨した。戦後民主主義というイデオロギーを注入することで、封建的な大衆ではなく、近代的な市民として自立すること。それが丸山に代表される戦後の進歩的知識人の基本的な路線だった。

もちろん今日においては、丸山に代表される当時の進歩的知識人の唱導していた戦後民主主義擁護はアメリカの核の傘の庇護に依存した一国平和主義以上の何ものでもなく、道義的に肯定することが難しいことはもちろん、現状分析的にも甚だ稚拙なものであったという批判を免れることは難しいだろう。しかし吉本隆明はそれが愚かなイデオロギーであることを断罪することに力点は置かなかった。吉本隆明の革新性は、20世紀の現代においてはむしろこのイデオロギーへの埋没こそが人々の自立を阻み、人を思考停止に陥れる（その結果がたとえばホロコーストや南京事件である）と価値転倒を行ったことだ。その批判の力点はむしろどのようなイデオロギーを選択するか（近代天皇制か、戦後民主主義か）、ではなくイデオロギーに依存する思想か自立する思想かに置かれた。

そのため吉本隆明は丸山眞男を戦後民主主義という共同幻想が人々にもたらす思考停止に無自覚なイデオローグとして断罪することになった。「もし〝民主制〞になんらかの価値があるとすれば、それは崇めなくてもよいからだ」と考える吉本にとって、ある共同幻想（近代天皇制）に対し、別の共同幻想（戦後民主主義）で対抗しようとする丸山眞男の思想は、「自立」からもっとも遠いものとして位置づけられたのだ。

吉本は丸山を批判して述べる。「大衆の原像」をその思想に織り込むべきである、と。イデオロギーが知識人の語る社会の「建前」なら、大衆の担う社会の「本音」が存在する。日米安全保障条約の延長に反対して、デモ隊が国会を取り囲んだとき、デモに参加する「市民」を当て込んでアンパンの屋台を出す「大衆」がいる。このアンパン屋のリアリティこそが「大衆の原像」だ。丸山眞男がどれほど声高らかにイデオロギーを叫んだとしても、デモ隊には届いてもアンパン屋には届かない。デモ隊は共同幻想に取り込むことができるが、アンパン屋はできない。だから人間が自立するためには、アンパン屋的なリアリティ（大衆の原像）に立脚するべきであり、そして思想とはこの大衆の原像と対峙して、アンパン屋に届くものでなければならない。これが吉本隆明の丸山眞男への批判であり、「大衆の原像」に立脚した「自立」の思想の骨子だ。そして問題は、このとき吉本隆明は「大衆の原像」こそが、そもそも丸山眞男が問題にした「無責任の体系」の温床であることを過小評価していたことだ。丸山が論じたようにかつてこの国を無謀な戦争に駆り立てたものはトップダウンのイデオロギーではなくボトムアップの「空気」だ。この「空気」に抗うためにトップダウンの「よい」イデオロギー（戦後民主主義）を注入せよと述べる丸山の主張はたしかに吉本が批判したように「自立」から程遠いものだ。しかし、このとき吉本が唱導した対幻想を根拠にした「自立」が、「大衆の原像」の生む「無責任の体系」の「空気」を相対化するどころか、むしろ強化することは自明だった。このアンパン屋はたしかにトップダウンの共同幻想からは自立しているかもしれない。しかし彼は同時に近所の屋台を仕切る土着の共同体には埋没しているかもしれない。共同体の「空気」を読まずに、アンパンではなくシャレたフレンチトーストの屋台を出して注目を集めた若者が現れたら仲間たちと一緒に村八分にすることをためらわないかもしれない。そして彼がそのような非道に加担することに、彼が対幻想を根拠に「自立」していることは防波堤にならない。妻子を守るためにこそ彼は職業集団に埋没しているからだ。このありふれた大衆のあり方のもつ負の側面を吉本は見誤った。より正確には吉本はある共同幻想から自立するために、別の共同幻想には埋没するという現象が、分人的なアイデンティティを常態化し得る社会ではむしろ支配的なスタイルになることを理解していなかった。強い父であるために矮小な組織人であり、サードプレイスでは良き友人であることが、近代社会においては成立する。そして社会の規模と豊かさが増すほどこうした振る舞いは当たり前のことになるのだ。

丸山眞男に吉本隆明は論争において勝利し、そしてその後の日本社会も吉本の唱導した通りに推移したかのように思える。この国の戦後社会に生きた人々は、近代天皇制からも戦後民主主義からも「自立」することを選んだ。だが、その代わりに、天皇や戦後民主主義という名の建前の代わりに、「大衆の原像」という名の本音を用いるかたちに進化したあたらしい「無責任の体系」に覆われていった。戦後日本を生きた人々は国家や党の語るトップダウンのイデオロギー（政治）から自立することによってむしろ、企業や家庭を下支えするボトムアップの「大衆の原像」（経済）からは自立できなくなったのだ。丸山の唱導したイデオロギーによる市民化と吉本の唱導した大衆の原像を根拠にした「自立」は実質的には対立することなく、むしろ共犯関係にすらあったと言えるだろう。つまり、戦後民主主義と平和主義から成る「建前」とアメリカの核の傘の下での経済発展という「本音」が戦後の日本社会を形成していたように、丸山的な「建前」と吉本的な「本音」も対立を装った共犯関係にあったのだ。

「消費」という自己幻想

もちろん、大衆の原像に下支えされた「無責任の体系」「からの」自立という戦後思想の出発点とも言える問題に、吉本は決して無自覚ではなかった。前述したように吉本の出発点は、戦中の近代天皇制の支配を成立させていた心理的なメカニズムの解明にあった。だからこそトップダウンのイデオロギーだけではなくボトムアップの「大衆の原像」に、つまり近代天皇制という共同幻想を求めてしまう人々の欲望にアプローチすることではじめて「自立」は実現し得ると吉本は考え、その立場は60年代から一貫している。問題は吉本が60年代末に唱導した対幻想を根拠にした「自立」が、トップダウンのイデオロギーからの「自立」

に主眼が置かれ、肝心なボトムアップの同調圧力を生む「大衆の原像」からの「自立」としては機能しなかったことだ。

そして「政治の季節」が決定的に相対化された1980年代、吉本は加速する消費社会を背景に対幻想ではなく自己幻想を用いた「自立」のプロジェクトを主張するようになる。それは、この21世紀から振り返るのなら、高度経済成長のもたらした消費社会の個人をエンパワーメントする効果を用いて、「自立」を試みるプロジェクトだった。

1984年に吉本隆明は女性ファッション誌「an・an」に、全身をコム・デ・ギャルソンで固めて登場した［※23］。時代はバブル経済の前夜、東西冷戦は継続中であったが社会主義の失敗はもはや明白であり、資本主義の成長によって相対的に底上げされた生活の豊かさを、程度の差こそあれ人々は共有しその成果を受け止めつつあった。そしてこの時期高度成長の生み出した膨大な中産階級は必要なものではなく好きなものを買い求め、所有することで、自己表現することを覚えはじめていた。吉本はこの「モノ」の所有による自己表現と、それを可能にする消費社会の到来を肯定した。だからこそ、吉本は改装した自宅のシャンデリア（！）の下で、全身をコム・デ・ギャルソンで固めたのだ。

吉本のこのパフォーマンスは、当時まだ生き残っていたマルクス主義者たちから多くの批判を呼んだ。代表的な例としては吉本の一世代上にあたる思想家の埴谷雄高（はにやゆたか）が、吉本の態度を資本主義への無批判な加担と位置づけて批判したものだ［※24］。吉本は、高度成長から取り残された国内の弱者や、貧困に苦しむ後進国の現実を無視しているのではないか、と。

この批判に対して吉本は以下のように応答している。

〈「アンアン」という雑誌は、先進資本主義国である日本の中学や高校出のOLを読者対象として、その消費生活のファッション便覧の役割をもつ愉しい雑誌です。総じて消費生活用の雑誌は生産の観点と逆に読まれなくてはなりませんが、この雑誌の読み方は、貴方の侮蔑をこめた反感と逆さまでなければなりません。先進資本主義国日本の中級ないし下級の女子賃労働者は、こんなファッション便覧に眼くばりするような消費生活をもてるほど、豊かになったのか、というように読まれるべきです。〉［※25］

ここで重要なのは、吉本の視点が個人という単位にフォーカスしていることだ。

半世紀前、学生運動に耽溺した団塊世代の学生たちはイデオロギーに埋没することで「個」が失われることを恐れ、政治的なものから撤退した。そしてその多くはささやかな家庭を維持することにアイデンティティを置いて、そのために自らは社会の歯車として企業共同体に埋没していった。戦後とは人々が戦後的核家族を主体とした中流幻想に立脚して生きた時代だった。そこには天皇主義にもマルクス主義にも依存しない、共同幻想から「自立」した主体の表れがあった。ただしこの吉本が60年代に唱導した対幻想に立脚した「自立」は、前述したように性差別的な家族の所有による擬似的な自立と職場の共同体への埋没を建前と本音として使い分ける主体を生むことになってしまった。当時吉本に背中を押された若者たちはイデオロギーから妻（母）と企業（共同体）に依存対象を変えただけで、決して「自立」することはなかったのだ。

そしてこの擬似的な「自立」は戦後的核家族の中流幻想から逸脱する個性を排斥する排他的な社会の温床にもなった。社会では鈍感さを装って個を殺して歯車やネジのように生き、その一方で家庭（依存対象となる異性）からたとえ世界は認めなくても私にとってあなたは価値があると承認されることで満たされる。この戦後日本において支配的になった成熟像は社会からクリエイティビティを確実に消失させていった。

消費社会下の日本では政治の代わりに経済が、イデオロギーの代わりに同調圧力が、人々を埋没させ個を抑圧する装置だったのだ。

だが高度成長が実現した豊かな消費社会は、吉本に「個」という単位を再評価させることになった。戦後的な核家族たちの中流幻想から、「大衆の原像」から自立し、あくまで「個」

であるための「消費」という行為に吉本は肯定的な評価を与えたのだ。

　当時既に吉本はこの造語を使用しなくなっていたがここで主張されたのは、「モノ」の「消費」を通じた自己幻想の強化による共同幻想からの自立だったと言える。

「モノ」の消費は極めて個人的なことだ。この時期の人々は、「モノ」の消費によって、どのような服に身を包み、どのような自動車に乗って、どのようなレストランを愛好するかで「自分」を表現しようとした。この「モノ」の消費による自己表現はいまとなっては当たり前のことを通り過ぎて、多くの現役世代にはむしろみっともないことだと考えられている。金銭さえ払えば手に入る「モノ」よりも、自分の内面と社会関係が充実していなければ手に入らない「コト」のほうが、今日においては圧倒的に強く人々を引きつけている。

　だがここで留意すべきなのは、消費による自己表現という行為が一般化したのは、少なくともこの国においては当時（1980年代）がはじめてだったということだ。それまで「モノ」とは生活のために必要とされているものであり、自己表現の対象では（ほとんどの場合）なかった。だが資本主義の勝利がもたらした1980年代の消費社会は、はじめて個人が自己表現として「モノ」を消費することを大衆に教えたのだ。

「モノ」の消費とは、当時の日本社会にとって豊かさと、そして個人主義的な自由を体現するものだったのだ。消費による自己表現が空疎であることなど、当時から自明だった。だが、空疎であるがゆえにそれはある程度の経済的な安定があれば誰でも買うことのできる自由として、社会の個人化の、都市化の、象徴になった。その内実はゼロだったかもしれないが、マイナスをゼロにしたことも間違いない。

80年代の吉本隆明はこの消費というあたらしい回路を用いた（自己幻想を強化することで人間を考えるアプローチだった。それは本書の文脈に即せば、「日常×自分の物語」の領域から人の）「自立」を唱導した。そしてこの「自立」のかたちは当時の人々によって無意識に選ばれていったものだった。だからこそ吉本は時代への肯定として、このあたらしい「自立」の思想を語った。だが、このあたらしい「自立」の射程距離は決して長くはなかった。

高度成長からバブル経済へと至る戦後資本主義の加速は、バブル経済が崩壊するころにはこの消費による自己表現をすっかり「当たり前のこと」に陳腐化していた。それはあたらしいライフスタイルではなく、誰もが息をするように行うことに瞬く間に変化し、定着することであの時代に帯びていた特別な意味を失っていった。それは「当たり前のこと」になることで、家族から、職場から人間を「自立」させる力を弱体化させていった。

そして吉本隆明が80年代に唱導した「消費」による自己幻想の強化は今日の情報社会においてはさらにその効力を失っている。「モノからコトへ」僕たちの価値の中心は移動し、「モノ」の消費が個人を表現することは難しくなった。

だがこの時期の吉本が展開した市場という開放された空間の、楽しいこと、気持ちのいいことを通じて人々の自立を促すという戦略は、日常の、自分の物語の水準から自立の足場を組み立てるという思想は、吉本の遺志を継ぐある人物と彼の主宰するメディアによって今日の情報社会に対応したかたちでアップデートされている。

「ゴキゲンを創造する、中くらいのメディア。」というコピーをかつて掲げていたこのメディアの達成とその限界について考えることは、本書が提唱する「遅い」インターネットに対し巨大な示唆を与えてくれる。

「ほぼ日刊イトイ新聞」、通称「ほぼ日」――日本を代表するコピーライター・糸井重里が主宰するこのウェブサイトは、僕の「遅いインターネット」計画の最大の参照先だ。

吉本隆明から糸井重里へ

吉本隆明と糸井重里の交流は80年代に遡る。ふたりの出会いは糸井が80年代の消費社会を代表するコピーライターとして、時代の感性を象徴する存在であったころのことだ。「ほしいものが、ほしいわ。」――これは糸井が1988年に西武百貨店のポスターに提供し、当時の消費社会を象徴するものとして一世を風靡したコピーだ。「モノ」の消費があたらしい自己表現として注目されていた当時において、「ほしいもの」とはあたらしい自己像（なりたい自分）のことに他ならなかった。つまり「ほしいもの」を「ほしい」というトートロジーは、このあたらしい回路（消費）への期待を的確に表現したものだったのだ。吉本のあたらしい「自立」への戦略を、他の誰よりも実践していたのは当時から既に糸井重里であったとすら言えるだろう。

そして1998年に誕生した「ほぼ日刊イトイ新聞」（「ほぼ日」）は吉本隆明が1980年代に唱導した消費による自己幻想の強化（による共同幻想からの自立）というプロジェクトをアップデートしたものだと言える。

当時からその没後に至る現在まで糸井は一貫して吉本へのリスペクトを公言しており、「ほぼ日」ではたびたび吉本の談話や講演の採録などがその生前から取り上げられているが、それ以上に「ほぼ日」こそが吉本思想の、それも80年代の吉本が唱導した自己幻想の強化による「自立」の実践なのだ。

僕は彼が主宰するこの「ほぼ日」の長年の読者で、「ほぼ日手帳」を15年以上愛用するヘビーユーザーだ。そして僕が「遅いインターネット」について考えはじめたとき、真っ先に浮かんだのがこの「ほぼ日」の存在だった。

「ほぼ日」が誕生した1998年はインターネットの普及がはじまった時代だ。そして、このころには人々が「モノ」の消費を用いた自己表現を、一方ではすっかり当たり前のこととして身につけていた。そしてもう一方では、それが空疎なものであると見なされはじめていた。

金銭を得れば、誰でもそれを手に入れることができる消費というあたらしい快楽の魔力は戦後に生まれた中産階級を魅了した。しかし商品の順列組み合わせで表現される自己は、市場に存在するパターンのうちどれを選ぶかに過ぎない。商品の消費とは誰かの作り上げたものを所有し、身につけることだ。それは一見「自分の物語」であるようでいて、まだまだ「他人の物語」の領域に留まる行為だったのだ。

人々の関心は消費社会が成熟し、情報社会の足音が聞こえてきた当時、徐々に「モノ」から「コト」へ、外見から内面へ移行しつつあった。

いま考えれば「ほぼ日」はまだ人々が「モノ」の消費で自己を表現していた時代の黄昏（たそがれ）に、インターネットというあたらしいメディアというかたちで出現した「コト」を用いたアプローチの先駆けだった。

天才コピーライターの糸井がこの自らのメディアに与えた「ゴキゲンを創造する、中くらいのメディア。」とは、要するに消費社会に対する気持ちのいい進入角度とほどよい距離感とを提案するメディア、という意味だと思えばよい。

インターネット上の文章という、無料の、それもネットワークに接続されたコンピューターさえあればいつでも、どこでもアクセスできる文章を日常の中に置く。当時糸井が提示したインターネットとは、個人が自分で程よい進入角度と距離感を調節できるメディアだった。

それは「モノ（消費社会）」とうまく距離を取るための「コト（情報社会＝インターネット）」という発想でもある。初期の「ほぼ日」は、この時期のインターネットのウェブサイトの大半がそうであったように「読みもの」主体の「テキストサイト」だった。そして「ほぼ日」の「ほぼ毎日」更新されるコラムや対談記事は、そのテキストの指示する内容よりも、「語り口」をもってして世界との距離感を表明していた。

この糸井重里と「ほぼ日」が提示する世界（消費社会から情報社会へ）に対する「気持ちのいい進入角度とほどよい距離感」の提示とは、これまでの糸井の仕事以上に吉本隆明の遺した理念の実践でもあった。

「ゴキゲンを創造する、中くらいのメディア。」を通して得られる世界に対する進入角度と距離感を調節する能力は、共同幻想からの「自立」のために必要とされたものでもあったのだ。

「ほぼ日」は、20世紀末の消費社会においてインターネットという「モノ」ではなく「コト」を用いる装置で、人間に「自立」をそっと促すメディアとして誕生した。それは「モノ」を消費することを通じた自己表現が「当たり前」になり、その力を半ば失った時代に「コト」の力を借りて同じ効果を獲得しようとした試みだったのだ。

だが今日の、上場後の「ほぼ日」は違う。

「株式会社ほぼ日」として、糸井重里引退後のブランド継続を視野に入れた上場を成し遂げた今日の「ほぼ日」は、事実上のEC（インターネット通販）サイトだ。いまや「ほぼ日」の価値の中心は糸井らによって厳選され、それこそ「気持ちのいい進入角度とほどよい距離感」に調節されたテキスト群ではない。むしろそれらのテキストによって付加価値を与えられた「モノ」たちだ。

僕たちは糸井らの厳選した、あるいは様々なメーカーと共同開発した手帳を、カレー粉を、タオルを、食器を手に入れて、身近に置くことで自分のペースでこの情報社会を生きることができる（ような気がする）。間違えてはいけない。変質したのは糸井でもなければ「ほぼ日」でもない。僕たちの生きる社会のほうだ。かつて糸井は「モノ」の時代（消費社会）に流されないように、「コト（インターネット）」を用いて「気持ちのいい進入角度とほどよい距離感」をユーザーに提供した。しかし情報環境の変化は僕たちの社会を動かす価値を「モノからコトへ」変化させた。僕たちはいまコム・デ・ギャルソンで全身を飾ることよりも、山村に足を運んで自分で採集した山菜を料理することに価値を覚えがちだ。ＣＤの売上が低下する一方で、フェスと握手会の動員は伸び続けている。工業社会の成熟による「モノ」の飽和と、情報社会の出現による「コト」の可視化は、僕たちの自己表現の方法を「モノ」の所有から「コト」のシェアに変化させたのだ。

そして糸井重里と「ほぼ日」は、この変化に他の誰よりも敏感だった。糸井はかつて自らが牽引したこの国の消費社会が終わりを告げようとしていることを極めて正しく、そして本質的に理解していたに違いない。その結果、気がつけば「ほぼ日」はＥＣサイトになっていた。僕たちは「ソーシャル疲れ」という言葉が普及する程度には、インターネット上に過剰にシェアされる「コト」の飽和に直面するようになった。特にスマートフォンの普及以降は、僕たちはTwitterで、Facebookで、ＬＩＮＥで24時間いつでも、どこでも誰かとつながり、「コト」で時間を潰すようになった。その結果として「モノ」に接する時間は希少な「誰とも（直接は）つながらない時間」として相対的に浮上することになった。情報社会からほどよく距離を取るためには、あえて「モノ」に回帰すればよい。それが糸井の時代に対する「回答」なのだ。

そして今日の情報社会下において「ほぼ日」は前述したようにむしろ「モノ」（消費社

会）に回帰することで「コト」（情報社会）に対する「気持ちのいい進入角度とほどよい距離感」を提示するメディアになっている。もちろん、今日において力を発揮するのは「モノ」ではなく「コト」だ。だからこそ、糸井は「モノ」のもつ機能を活用しながらも、そこに「コト」としての側面を与える。今日のＥＣサイト化した「ほぼ日」が売っているのは「モノ」だけではなく、その商品の背景に存在する物語（コト）でもある。生産者のエピソードや、商品企画の過程は「ほぼ日」でほどよく紹介される。僕たちはその商品を手にしたときに、これらの物語を思い出す。そしてその「モノ」が自分の生活に入り込むことで、世界への距離感と進入角度を再検討するのだ。

「政治的なもの」からの報復

だがその一方で糸井と「ほぼ日」による「モノ（消費社会）」への戦略的撤退というアプローチの限界も既に露呈している。

たとえば残念ながら現在の「ほぼ日」は以前とは異なり、どこからでも、誰でも楽しめるものではなくなっている。「やさしいタオル（ハンドサイズ）８８０円（税込）」という値付けを見て、ため息をついた読者も多いだろう。誤解のないように言えば、僕はこれらの「ほぼ日」の商品群が不当に高いとは思わない。むしろ逆で、その質の高さを考えれば安すぎるくらいだと考えている。しかし、それでも、いや、だからこそ現在の「ほぼ日」がハンドタオルに８８０円＋送料を払える階層の人々のみのものであることを実感せざるを得ない。現代のこの日本社会でハンドタオルに８８０円払ってもよい、と考えられる心の余裕は、とても大切なことなのは間違いない。しかし、それでもこの現在の「ほぼ日」が採用する「モノ」への回帰、消費社会への戦略的撤退という処方箋の、決定的な射程の短さを僕は指摘せざるを得ない。

たとえば端的に、ここからは予め学生や若い社会人は価格的に排除されている。しかし、彼らこそがかつての「ほぼ日」を支えたユーザーではなかったか。そしてこの、結果的に青年たちが選ばれないという現象は、心身ともに高齢化するこの国の姿を象徴してはいないだろうか。

実際に、糸井重里はソーシャルメディア（Twitter）で、こうした不満を抱く貧しい若者から罵倒されることが少なくない。彼らの多くは無知と安易さから糸井への事実上無内容な批判を書き連ねる。曰く、糸井重里は政治から撤退しスローフード的な「ていねいな暮らし」に逃避している、と。糸井のこの脱政治性は団塊世代の転向者を象徴するもので、それは今日の日本の経済的な衰退と格差の拡大を是認するものだ。そして糸井たち団塊世代のツケを払うのは自分たちなのだ、と。

これが糸井に向けられたものでなければ、安易で浅薄ではあるが少なくとも現在の20代、30代がそう考えてしまうのは不思議なことではない。しかしこの種の批判は糸井が極めて政治的であるからこそ、表面的には脱政治的に振る舞っているという基本的なことを（そして歴史的な経緯を）理解していないものだ。問題はむしろその「政治的ではない、という政治性」がなぜ機能しなくなったのか、だ。

ここで吉本隆明が提唱した三幻想が、今日のインターネットサービスを構成する三要素と合致することを思い出してもらいたい。今日における「ほぼ日」とは、「コト」から「モノ」に回帰することでタイムラインからボトムアップで生まれる共同幻想に対し「自立」するためのプロジェクトでもある。そして第1章で論じたように、いま政治（民主主義）は世界に素手で触れることのできない人々の、旧い世界に取り残された人々のインスタントな承認欲求のはけ口として機能している。その安易な自己幻想の表現はフェイクニュースにもフィルターバブルにも抵抗力をもつことがなく、簡単に共同幻想に同一化してしまう。弱い人々が安易に自己幻想を表現しようとすると、結果として共同幻想に取り込まれてしまうのだ。

もともと糸井重里と「ほぼ日」の非政治性とは20世紀型のトップダウンの共同幻想からの、具体的には政治的なイデオロギーからの自立のために選択されたものだ。政治的なものと距離を置くことこそが、彼らなりの政治的な態度表明なのだ。だが、糸井の「政治的ではない、という政治性」は今日のタイムラインの同調圧力が生むボトムアップの共同幻想に対しては機能しない。糸井を中傷するソーシャルメディアのリプライの見解はただの無知と安易さの産物だが、それとは別の次元で今日の「ほぼ日」の「自立」の思想は機能していない。

トップダウンの共同幻想がマスメディアで大衆を動員していた前世紀においては、糸井の「政治的ではない、という政治性」は機能する。なぜならば、それは政治（非日常）の問題を生活（日常）のレベルで捉え直すことでイデオロギーのもたらす単純化からその複雑性を回復することができるからだ。

共同幻想に依存してある主義のために殉じることで、自分の人生に意味が生まれると考えている人々は世界を友敵の二分法で判断することになる。国会を取り囲むデモ隊か守る機動隊のどちらに加担するかを選択することになる。だが人々は共同幻想から自立することで、デモ隊／機動隊だけではなく、彼らにアンパンを売りつける屋台の人々の生活のリアリズム（大衆の原像）を射程に入れることで、世界は友敵に二分できなくなる。デモ隊と機動隊

（政治）だけを射程に収めているときに、選択肢はそのどちらを支持するかのふたつしかない。しかし、彼らにアンパンを売りつける屋台（生活）をも視界に収めることで、選択肢を生む問題そのものが無数に増殖し、そして絡み合う現実が可視化されるのだ。

だが今日における共同幻想は、マスメディアを用いてトップダウンにもたらされるだけではなくソーシャルメディアのタイムラインからもボトムアップで生成される。このとき、糸井的なアプローチは少なくともかつてのようには機能しない。今日において、グローバルな情報社会は経済的、文化的に個人が世界に素手で触れることを可能にしている。このとき経済的にも、文化的にも世界に素手で触れることのできない人々が唯一世界に関与する方法が政治（民主主義）だ。既に多くの国家にとって政治とは富の再分配であると同等か、それ以上に承認の再分配の装置である。今日における糸井的なアプローチはこの承認（コト）の再分配である「政治」に対し、「生活」という視点を導入することで相対化を試みるというものだ。つまり、ていねいな生活（モノ）の消費を用いて個人が進入角度と距離を調節するのだ。かつて吉本—糸井が共同幻想からの自立を主張したとき、それはトップダウンのイデオロギー（コト）に動員される大衆を生活の問題（モノ）に引き戻すことだった。しかし今日において同じ操作は不可能だ。今日において、大衆はボトムアップの共同幻想をインターネットで立ち上げることで、承認（コト）の問題を解決しようとする。「ほぼ日」はここでていねいな生活（モノ）を投入することで、共同幻想からの「自立」を促すのだがこの回路を用いることができるのはハンドタオルに８８０円以上払うことのできる階層の人々だけだ（彼らを大衆と呼ぶのは難しい）。かつて（80年代）吉本／糸井の唱導した消費による自己幻想の強化を用いた「自立」は戦後の高度成長による中流化が進行中であるからこそ、有効な手段だったのだ。

糸井重里の非政治性への批判が、（それ自体がたとえ無知と安易さの産物であったとしても）階級批判として噴出する背景がここにある。承認の再分配と化した政治から距離を置き、それを支えるボトムアップの共同幻想から自立すること。そのためにコト（政治）ではなくモノ（生活）の水準で考えることは、多くの場合旧い「境界のある世界」の「Somewhere」な住人には階級的に難しいのだ。それはむしろあたらしい「境界のない世界」の「Anywhere」な住人のライフスタイルなのだ。そもそも「ほぼ日」が提案する生活が実現可能な人々は、既に民主主義による承認の再分配を必要としていないのだ。

そして仮に「境界のある世界」の「Somewhere」な住人たちに十分な経済力が与えられたとしても、「モノ」への回帰がかつてのような威力を発揮するのは難しい。

たしかに「モノ」へと回帰するという選択肢は魅力的だ。「コト」がこの情報環境下では容易に「自分ごと」として機能するのと対照的に、「モノ」は本質的に誰か他の人間が作った「他人ごと」だ。ライブは参加するだけで「自分ごと」になるが、CDは何枚買ってもその曲は「他人ごと」だ。この事実をもってして、消費社会に回帰することで「他者」と向き合うことができる、と告げることもできるだろう。実際に消費社会下における「モノ」は、私にはまだこのモノが「ない」と焦燥と嫉妬を掻き立てることで、あるいは私にもこのモノがあれば、という憧れを駆動することで人々の意識に他者性をもたらす機能も担っていた。だが、こうした「モノ」の他者性こそが、いま情報技術によって失われつつある（たとえば3Dプリンタの普及はオーダーメイドを決定的に身近なものにするだろう）。

あるいはInstagramのことを考えてみよう。ここでは「モノ」のもつ他者性と切断力はほぼ機能していない。「インスタ映え」という言葉の定着が証明するように、ここでは一方で商品や場所といった「モノ」の価値が再浮上する一方で、それらは「他人ごと」ではなく「自分ごと」として消費され、そしてSNS上で「映え」るか否かという基準によって、つまり切断するためではなく接続するために選択されている。糸井はここに注目して「モノ」に「コト」としての側面を与えることに成功しているのだが、これは諸刃の剣でもあるのだ。

僕たちはもはや「モノ」に再び照準することでは、少なくとも緊急避難的に「モノ」の時代に、消費社会に退避してこの情報社会の速すぎる波に流されないように身を守ることはできても、未来に何かを残すことはできないのだ。

もちろん、僕は「モノ」の情報社会下における機能の変化にポジティブな再評価を与えることそのものを批判しようとは思わない。しかし、現時点ではそれはクレバーな撤退戦に過ぎないことにも留意は必要だろう(そしてこの状況下においてクレバーな撤退戦を完璧に展開する糸井には脱帽させられるしかない、が)。

モノからコトへ、消費社会から情報社会へ——僕たちはこの不可避の変化を受け入れながら自立の思想を、今日の「速い」インターネットが生み出すボトムアップの共同幻想からの自立の方法をいま必要としている。モノに撤退することなく、コトの次元に踏み留まりながらこのあたらしい、境界のない世界をタイムラインの速度に流されることなく生き得る主体を立ち上げること。それが本書の提案する「遅いインターネット」の目的だ。

吉本隆明から糸井重里へ。日常の、自分の物語に対するアプローチによって試みられていた「自立」の思想の実践プロジェクトはいま、暗礁に乗り上げつつある。では突破口はどこにあるのか。吉本隆明/糸井重里が落ちた陥穽はどこにあったのか。吉本の遺した思考に遡ることで、もう一度考えてみよう。

母性のディストピア

かつて吉本隆明の提示した三幻想が、ソーシャルメディアの基本サービスにそれぞれ対応していることは既に述べた。自己幻想とはプロフィールであり、対幻想とはメッセンジャーであり、そして共同幻想とはタイムラインである。吉本は60年代末の「政治の季節」の極相においては対幻想に依拠することでの、そして80年代末のバブル景気の極相においては自己幻想を強化することでの共同幻想からの「自立」を主張した。しかしそれらのプロジェクトが今日の情報社会においては既に破綻していることは明らかだ。

吉本隆明はこの三幻想を「逆立」するものと考えた。「逆立」とはそれぞれ反発しながら独立している状態のことを指す。しかし今日の情報技術はこの前提を破壊する。自己幻想＝プロフィールはそれ自体が共同幻想（タイムライン）に組み込まれ、対幻想（メッセンジャー）は自己幻想（プロフィール）間の接続として存在し、「いいね」やリプライというかたちで二者関係に完全に閉じることはなく共同幻想（タイムライン）の領域に漏れ出してしまう。そもそも、プロフィールに力点を置いたFacebook、メッセンジャーに力点を置いたLINE、タイムラインに力点を置いたTwitterという棲み分けはあるものの、これらのプラットフォームはすべて三幻想に対応する三つの機能を備えている。

要するに今日の情報技術は三幻想を可視化し、操作可能にすることでこれらの「逆立」性を排除し、相互接続してしまったのだ。言い換えればソーシャルメディアとは、人間の三幻想を接続する装置なのだ。もはや自己幻想／対幻想を足場にすることで、共同幻想から「自立」することはできない。なぜならばこの三幻想の独立性自体が既に崩壊しているからだ。

たとえばFacebookやTwitter、あるいはInstagramの「いいね」について考えてみよう。あるユーザーが別のユーザーの書き込みに「いいね」する。これは本来は1対1の、つまり対幻想の可視化である。しかしこのとき可視化された対幻想は共同幻想（タイムライン）に漏れ出している。そしてこのとき、Twitterの「いいね」はわざわざそれをクリックして確認しなければいけないが、FacebookやInstagramの「いいね」はコミュニケーションの基盤を成し、タイムライン上に大きく公開される。「いいね」とは共同幻想に半ば接続された対幻想だ。そしてTwitterの「いいね」は小さく、FacebookやInstagramの「いいね」は大きく共同幻想に近づいた対幻想だと言える。「いいね」は接続され、地続きになった対幻想と共同幻想との間に存在し、それを可視化するものなのだ。

２０１９年、Instagramが「いいね」の数を非公開にし、話題を集めた。これはその「いいね」をより共同幻想から対幻想の側に引き戻す操作だったと言える。

僕たちは「逆立」する三幻想を曖昧にし、境界を取り払いたいという欲望を抱いていたのだ。そしてそれを実現するのがソーシャルネットワーキングサービスだったのだ。「いいね」は二者関係をあるときは弱く、あるときは強く社会に示す欲望を満たすものなのだ［※26］。そして対幻想と共同幻想の間にあるものを様々なかたちで表現しているのだ。

そして恐るべきことに吉本隆明自身も三幻想が情報技術によって融解していく未来を半ば予見していた。吉本が80年代末に展開した『ハイ・イメージ論』は、吉本自身によって『共同幻想論』の続編的内容と位置づけられている。しかしその内容は断片的なアイデア・メモの域を出ているとは言い難い。そしてこれは吉本の著述活動全体に当てはまることだがこの時期のものは特に日本語と論理構成の破綻が多く、頻出する数式等の妥当性にも多くの疑問が寄せられている。だがそのアイデアのいくつかは結果的に今日の情報社会に対して高い予見性をもっていたと言わざるを得ない。

まさに「映像の終りから」と題された冒頭のエッセイは、古今東西の臨死体験の類似の指摘からはじまる。吉本曰く、古今東西の臨死体験はすべて同じ形式を取る。それは死に瀕(ひん)した人間は、その危機に陥った自身の身体を神の視点から見下ろしているというものだ。つまりここでは、等身大の身体（普遍視線）を有したまま、神の視点（世界視線）を有している状態だと言える。吉本は情報技術の発展がもたらす「映像の終り」の先にあるものは、この臨死体験がもたらすような世界像——普遍視線と世界視線が交錯する——を人々がもつようになる社会であると考えたのだ。

この吉本の予見した情報社会を、僕たちは既に生きている。僕たちはまるで臨死体験のように、Google Maps を通して普遍視線の中に世界視線を、等身大の視線の中に神の視線を導入している。

死とは定義的に経験不能なもので、その意味において究極の虚構である。吉本的に言えばこれは死という本来体験し得ないもの（虚構）が、日常化されたこと（現実）と同義なのだ。僕たちはいま、自分が世界のどこに立っているかを常に神の視点から把握しながら生活している。そしてこの普遍視線と世界視線の交錯する日常は人間を解放する一方で大きく混乱させている。吉本がここで述べている未来像とは今日の通勤途中の満員電車の中でトランプのツイートに批判的なリプライを送ることのできる世界として既に実現しているのだ。

このとき、共同幻想の水準にある世界視線は、自己幻想／対幻想の水準にある普遍視線の一部に組み込まれている。そう、資本主義と情報環境の発展による三幻想の接続を、吉本は予見していたのだ。しかし、この接続が何をもたらすのかについて吉本は漠然としたイメージを（肯定的に）示すことに留まっている。

そして吉本は、このふたつの視線の交錯を胎児の視線であると表現している。

〈現在コンピューター・グラフィックスの映像でつきつめられた極限の像価値が、〈死〉または〈未生〉のときに外挿または内挿される像体験に近づいていることは、この上ない暗喩の拡がりを呼び起こす。もしかすると現在そのものの構成的な価値の概念が全体でつきあっているものが、〈死〉または、ただ〈未生〉の社会像によって暗喩されるものかもしれないからだ。〉［※27］

〈この中で立体の映像は、平面スクリーン（二次元スクリーン）を脱して立体化された視覚像となり、視座席の近くにまで浮遊し、走り抜けていく映像体験がえられる。その上に世界視線が想像的な像空間の内部に内在化されて、いわば胎内視線に転化される。〉［※28］

〈この驚きの源泉はどこからやってくるかをかんがえてみれば、それはあきらかに胎内体験の像のシチュエーション、あるいは瀕死や仮死の像のシチュエーションに、いちばん近くまで肉薄した映像体験だということに尽きる。〉［※29］

死生の、虚実の、非日常と日常の境界線が消失し、一体化することで胎児のような全能感を保証する母胎――それはまさしく、今日のネットワークの外部を失った情報環境のことに他ならない。当時吉本はこの未来像を肯定的に提示した。しかし、21世紀の今日、この母胎のような情報ネットワークと、そこに安住して全能感を胎児たちが貪る世界を手放しで肯定することは難しい。僕はそれを「母性のディストピア」［※30］と名付け、批判的に論じた。三幻想を接続し、普遍視線（自己幻想、対幻想）の中に世界視線（共同幻想）を組み込むこの現代の情報環境は、目に入れたいものだけを目に入れ、信じたい物語だけを信じて生きることのできるこの世界は、都合のよい他者と自分をタグ付けし、いわば誰もが胎児のような全能感の中に自閉する「母性のディストピア」なのだ。

吉本隆明はこの来るべき情報社会像を提示した『ハイ・イメージ論』を『共同幻想論』のアップデート版として位置づけている。

では、ここでアップデートされたものは何か。三幻想が「逆立」することを前提に共同幻想からの「自立」が原理的に可能であることを主張した『共同幻想論』と、世界視線（共同幻想）と普遍視線（自己幻想／対幻想）の交錯する世界つまり、三幻想が接続される世界の出現を予感した『ハイ・イメージ論』の差異とは何か。

吉本は資本主義と情報技術の進化によって個人が対峙すべき世界が共同幻想に支えられた国民国家や前衛党などではなく、共同幻想を必要としないシステムとしてのグローバルな市場に変化することを予感していた。

かつて戦後の文学者たちは「政治と文学」という言葉で世界と個人との関係を表現した。個人がその内面の声と格闘すること（文学）を通じて社会への関わり方（政治）を決定する。20世紀においては世界と個人との関わりはこの「政治と文学」の関係性と言い換えることができたのだ。しかし21世紀の今日は違う。世界のあり方を決定するもっとも大きな場はローカルな国民国家（の集合）ではなくグローバルな市場だ。そして国家は人間のアイデンティティと接続されるが、市場は人間の生活そのものと接続される。たとえば私は日本人だ、私はアメリカ人だという意識が国家と個人を接続する。対して市場と人間は僕たちの身体が食べること、寝ること、楽しむことを通じて接続される。国家と人間を接続しているのが歴史やイデオロギーといった物語（文学）なら、市場と人間を接続しているのは技術、とりわけ今日においては情報技術を用いたサービス（ゲーム）だ。僕たちは日の丸や君が代といった象徴を物語（文学）的に解釈し、国家に対する距離感や進入角度を決定している。対してGoogle Mapsで検索したレストランの支払いをＶＩＳＡのクレジットカードで決済することで、極めて無自覚に、そして非物語的にグローバルな市場にコミットしている。

もはや世界はグローバル資本主義というひとつのゲームとして記述可能になりつつあり、望むと望まざるとにかかわらず誰もがこのゲームのプレイヤーとして機能してしまう。そう、既に（共同幻想からの）自立は「政治と文学」から「経済とゲーム」へ、世界の構造が変化したことによって達成されてしまっているのだ。国家は物語（の支える共同幻想）を必要とするが、市場は必要としない。旧い「境界のある世界」を生きる「Somewhere」な人々は民主主義という物語を通じて共同幻想に同一化することで世界に関与していることを信じられるようになる。対してあたらしい「境界のない世界」を生きる「Anywhere」な人々は、相対的に共同幻想を必要としていない。彼らはグローバル資本主義というゲームのプレイヤーであり、民主主義という物語を生きていない。そしてこのゲームの特徴は、優れたプレイヤーがメタプレイヤーとして、ゲームそのものを内側から書き換えることができることだ。書き換え革命ではなくハックで自己進化するシステムを、このゲームは内包しているのだ。書き換え不可能な物語ではなく可能なゲームを生きる彼らは共同幻想に同一化することなく自己幻想を維持したまま世界に素手で触れることができるのだ。

かつて吉本隆明は『共同幻想論』で社会の規模拡大と同時に本来は独立して存在している三幻想が接続される必要性に直面していく――国家という共同幻想が成立していく――その

メカニズムを解き明かした。そして『ハイ・イメージ論』では三幻想の境界が融解し、社会における共同幻想の優位が解体していく未来を（甚だ楽観的にだが）予感した。今日において吉本の予感はいま現実のものになりつつある。いや、実のところ、世界は既にこのあたらしいゲームに飲み込まれてしまっている。

そしてこの変化に耐えられない人々がいま経済から政治へ、ゲームから物語へ、つまり共同幻想に回帰しつつある。ただ、ここで留意しなければならないのはこのとき人々が共同幻想に回帰することによって強化しているのはむしろ自己幻想である、ということだ。

相対的に「Anywhere」な人々は、自己幻想そのものを肥大させ、自ら記述する。私はこのように考え、このように実行し、そして世界にこのような変化をもたらしたのだ、と。そして相対的に「Somewhere」な状態に置かれれば置かれるほど、人々は自分の物語を語れなくなり、他人の物語の一部を借りて自分の物語を語ろうとする。

そう、今日の原理的にはすべての人々に素手で触れられる機会が与えられた世界においては誰もが自己幻想の記述を要求される。しかし世界の半分の人々は、「Somewhere」な人々は自己幻想を十分にもつことができない。そして自己幻想を補塡するために対幻想と共同幻想とを用いることになる。特定の誰かから得られる「いいね」と、セルフィーへのタグ付けは対幻想による自己幻想の強化に用いられ、タイムラインに投下されるイデオロギッシュな投稿は共同幻想による自己幻想の強化として作用するのだ。

かつて自己幻想と対幻想、そして共同幻想はたしかに逆立していた。逆立していたからこそ、共同幻想（政治的なイデオロギー）の呪縛から逃れるために対幻想を足場にした家族を守るという建前が転向という本音の背中を押すことができたのだし、消費による自己幻想の強化が有効だったのだ。

しかし今日においては対になる存在との関係性も、所属する共同体も自己につけられたタグのひとつに過ぎない。あくまでそこで記述されているのは自己なのだ。弱い自己はタグ付けに夢中になり、強い自己は自らが誰かのタグとなる、それだけだ。他の二幻想を強化することで特定の幻想を相対化することは、もはや不可能なのだ。

インターネットが、とりわけソーシャルネットワーキングサービスが人間の幻想の境界を融解させていることは前述した通りだ。そして、この融解は肥大した自己幻想に他の二幻想、つまり対幻想と共同幻想が取り込まれるかたちで発生している。あらゆるソーシャルネットワーキングサービスの基礎が個人が取得するアカウントごとのプロフィール（自己幻想）であることからもそれは明らかだ。今日において、情報社会下のコミュニケーションとはこのプロフィール（自己幻想）を単位とする1対1のコミュニケーション（対幻想）と1対Nの情報発信（共同幻想）によって成り立っている。この融解は肥大した自己幻想に他の二幻想が従属するかたちで発生しているのだ。たとえば自己幻想＝プロフィールが主体のFacebookで十分に自己幻想を記述することができない、自信のない人々がメッセンジャーでの特定の個人とのやり取りや「いいね」やタグ付け（対幻想）に執着し、Twitter＝タイムライン（共同幻想）の潮目を読んで匿名アカウントを用いて自分自身を安全圏に逃しながら世間に「物申す」ことで自分を慰めている。ソーシャルネットワーキングサービスは、個人のアカウントごとのプロフィールを、つまり自己幻想をベースにしたサービスだ。「いいね」や「タグ付け」への執着も、タイムラインの同調圧力も、僕たちがいま、自己幻想の記述に囚われているからこそ、その手段として生まれているのだ。それは僕たちが欲望してきたことなのだ。

いま、僕たちが直面しているのは自己幻想の肥大だ。読者の中にはこう感じる人もいるだろう。何を馬鹿なことを述べるのだ。世界はいま、グローバリゼーションのアレルギー反応としてのイデオロギー回帰の段階にあると、君自身が主張しているではないか。共同幻想からの自立という20世紀後半的な課題は、いまこそ再検討されるべきだというのが本書の趣旨なのではないか、と。もちろんその通りだ。そしてだからこそここで問題の本質を間違えてはいけない。前世紀においてはたしかに国家や前衛党のイデオロギーが代表するトップダウンの共同幻想からの「自立」こそが要求された。そこで吉本は60年代においては家族的な1対1の対の関係性つまり対幻想を足場にすることによる、80年代においては消費を用いた自己幻想の強化による「自立」を主張した。しかし今日の情報技術は自己幻想の一部として対幻想と共同幻想を組み込むかたちで、社会を再編しつつある。

国籍も所属組織も個人につけられたタグに過ぎない21世紀の今日とは、自己幻想が肥大する時代だ。20世紀前半とは共同幻想が支配した世界大戦の時代であり、後半は戦後中流の家族像が社会のベースを形成した対幻想の時代だった。そして今日の情報社会とは自己幻想の時代なのだ。それも情報技術に支援されることで、三幻想のうち自己幻想が他の二幻想を吸収するかたちで肥大している。誰もが自分の物語を発信し得る社会は、そしてその発信を相互評価することで社会的信用が可視化される世界においては、自己幻想は不可避に肥大する。この肥大した自己幻想の触媒として、共同幻想が過剰に消費されているのだ。

したがって今日の民主主義を破壊しつつあるイデオロギー回帰、つまりボトムアップの共同幻想への回帰の問題を解決するためには、むしろ自己幻想の肥大に対する処方箋が必要だ。フェイクニュースとヘイトスピーチを拡散し、インターネットポピュリズムを常態化する彼らの発信は自己幻想の確認のために用いられている。共同幻想への同一化はそのための手段に過ぎない。世界に素手で触れているという感覚を取り戻すこと。そのために世界に素手で触れ得る自己を手に入れること。ソーシャルメディアを用いた民主主義へのコミットは彼らの自己幻想をもっとも簡易に強化する手段なのだ。

敵を間違えてはいけない。いま求められているのは、共同幻想からの自立ではない。自己幻想の強化のために共同幻想を用いる人々を抑制するために必要なのは、むしろ自己幻想からの自立なのだ。

対幻想（タグ付け）も共同幻想（リツイート）も自己幻想を強化することにしかつながらない今日において、いかに自立が可能か。それが今日の課題なのだ。より正確にはそれは自立ではない。三幻想の境界が融解したいま、それは自立ではあり得ない。自己幻想の肥大を抑制すること。対幻想に対しても、共同幻想に対しても適切な進入角度と距離感を常に調節し続けること。世界に対して調和的に関係し続けることが、いま求められているのだ。

本書（第1章）で行った三つの提案はこの吉本の『ハイ・イメージ論』等で示された情報社会像の批判的な分析によって導き出されたものだ。吉本隆明は高度資本主義と情報技術の進化のもたらす未来社会を「アフリカ的段階」への回帰として肯定的に捉えた。しかしその実体はもたざる者の自己幻想の触媒としてのボトムアップの共同幻想が支配する「母性のデイストピア」に他ならない。では、いかにして僕たちはこの「母性のディストピア」から脱出すべきなのか？

僕の結論は既に述べたようにこの環境下においてはもはや民主主義を半分諦める他ない、というものだ。情報技術の発展は民主主義のリスクを増大させる。前提としてそれでも民主主義が相対的にはもっともリスクの低い意思決定のシステムであることは揺るがない。しかしこれ以上の過大な評価を与えることは僕たちの自由と平等にとってもはや自殺行為だ。したがって民主主義の枠組みを遺しながらその決定力を相対的に下げる他ない。第一の提案（民主主義と立憲主義の対立では、立憲主義を支援せよ）と第二の提案（情報技術を用いて、選挙とデモの中間に、あたらしい政治参加の回路を作る）はこの発想に基づいている。

民主主義と立憲主義との対立はもはや避けられない。そしてもはや前者に制限を加えてこのパワーバランスは後者に傾ける他ない。それが第一の提案だ。

第二の提案は政治と国民とを接続する回路の多元化だ。全国民を対象とした普通選挙に決定権を集中させることのリスクが相対的に増大することは避けられない。多数決に拠らないボトムアップの意思決定のシステムを並走させることで、リスクを分散させることが必要だ。そして同時にこれは選挙やデモといった非日常への動員ではなく、日常の労働の延長線上に政治参加の回路を開くことで、ポピュリズムのもつ祝祭性を相対化する試みでもある。

最後の第三の提案が、本章で取り上げた自己幻想からの「自立」だ。不可避に自己幻想が肥大し、世界に素手で触れる誘惑にさらされる今日において、僕たちはいかに自己幻想からの「自立」を試みることができるのか。他の二幻想（対幻想／共同幻想）を足場にすることは、もはや自己幻想からの自立にはつながらない。対幻想も共同幻想も、もはや自己幻想の触媒に過ぎないからだ。僕たちは自分の物語を自ら語り、自己幻想を記述しながら生きていく他ない。もはや問題は自己幻想のマネジメントに移行しているのだ。では、どうすれば僕たちは自分の物語と、自己幻想とほどよく付き合っていけるのだろうか。自己幻想をマネジメントすることで世界に対しほどよい進入角度と距離感を試行錯誤し続けるために、どのような支援装置があるとよいのだろうか。

そのために本書では吉本隆明から糸井重里へと引き継がれた「自立」のためのプロジェクトを、批判的に継承することを提案したい。では、どうやって？　既に、答えは述べている。

第4章

遅いインターネット

「遅いインターネット」宣言

いま、必要なのはもっと「遅い」インターネットだ。それが本書の結論だ。

現在のインターネットは人間を「考えさせない」ための道具になっている。かつてもっとも自由な発信の場として期待されていたインターネットは、いまとなっては、もっとも不自由な場となり僕たちを抑圧している。それも権力によるトップダウン的な監視ではなく、ユーザーひとりひとりのボトムアップの同調圧力によって、インターネットは息苦しさを増している。

一方では予め期待している結論を述べてくれる情報だけをサプリメントのように消費する人々がいまの自分を、自分の考えを肯定し、安心するためにフェイクニュースや陰謀論を支持し、拡散している。そしてもう一方では自分で考える能力を育むことをせずに成人し、「みんなと同じ」であることを短期的に確認することでしか自己を肯定できない卑しい人々が、週に一度失敗した人間や目立った人間から「生贄」を選んでみんなで石を投げつけ、「ああ、自分はまともな側の、マジョリティの側の人間だ」と安心している。

　これらはいずれも、「考える」ためではなく「考えない」ためにインターネットを用いる行為だ。ネットサーフィンという言葉が機能し、インターネットが万人に対しての知の大海として開かれる可能性は、つい最近まで信じられていたはずだ。しかし、もはやそれは遠い遠い過去のことのような錯覚を僕たちにもたらしている。

　そこで、僕はひとつの運動をはじめようと考えている。「遅いインターネット計画」と呼んでいるそれは、あたらしいウェブマガジンの立ち上げと、読者に十分な発信能力を共有するワークショップが連動する運動だ。

　この国を包み込むインターネットの（特にTwitterの）「空気」を無視して、その速すぎる回転に巻き込まれないように自分たちのペースでじっくり「考えるための」情報に接することができる場を作ること。Google検索の引っかかりやすいところに、５年、10年と読み続けられる良質な読み物を置くこと。そうすることで少しでもほんとうのインターネットの姿を取り戻すこと。そしてこの運動を担うコミュニティを育成すること。そのコミュニティで、自分で考え、そして「書く」技術を共有すること。それが僕の考える「遅いインターネット」だ。

「速度」をめぐって

なぜ「遅い」インターネットなのか。それはこれまで見てきたように、いまのインターネットの行き詰まりの原因はその「速さ」にあると考えるからだ。もちろん、「速さ」はインターネットの最大の武器だ。世界中のどこにいても即時に情報にアクセスできる。この「速さ」がインターネットの武器であることは間違いない。しかし、インターネットはその「速さ」と同じくらい「遅く」接することができるメディアでもある。インターネットの本質はむしろ、自分で情報にアクセスする速度を「自由に」決められる点にこそあるはずだ。1日単位で話題が回転する新聞やテレビや、週や月単位で回転する雑誌などと異なりインターネットは「速く」接することもできれば、「遅く」じっくりと、ハイパーリンクや検索を駆使して回り道して調べながら接することもできる。そんなメディアがいま、必要なのではないか。そこで、僕はいまあえて速すぎる情報の消費速度に抗って、少し立ち止まって、ゆっくりと情報を咀嚼して消化できるインターネットの使い方を提案したい。そうすることで僕たちはより自由に情報に、世界に対する距離感と進入角度を決定できるはずだ。

ここで第2章で展開した映画／テレビの、つまり映像の20世紀とインターネットが支配するネットワークの21世紀の比較について思い出してもらいたい。映画とは能動的な観客を想定したメディアであり、そしてテレビとは受動的な観客を想定したメディアである。しかし、インターネットはその両者を包摂し得る。

本来のインターネットは映画よりも能動的に情報を取捨選択することもできれば、テレビよりも受動的に情報の洪水をただ浴び続けることもできる。より正確には、現代の情報技術は人間の常に変化する能動性に対し、柔軟に対応することを可能にする。人間とは、そもそも映画が想定する能動的な観客でもなければ、テレビが想定する受動的な視聴者でもない。コンピューターの発展によって、僕たちははじめて人間そのものにアプローチすることができるようになったのだ。

しかし、いまインターネットと呼ばれているものは、いやFacebookやTwitterに代表されるソーシャルネットワーキングサービスを中心に再組織化されつつある現在の情報環境は、この速度を決定する主導権そのものを人間から剝奪している。僕たちは自分たちの情報に対する速度と進入角度を、いまソーシャルネットワーキングサービスのプラットフォームに明け渡しているのだ。

たとえば、タイムラインに流れてくる情報に対しほとんど脊髄反射的に反応して「発信」

する人々は、あるいはニュースサイトが閲覧数目的で選ぶ扇情的な見出しに釣られタイムラインの「空気を読み」、週に一度生贄として選ばれた目立ちすぎた人や失敗した人に石を投げつける人々は果たして「思考している」と言えるのだろうか。

もちろん彼ら自身は自分で事物について考えをめぐらし、自分の考えを発信しているつもりなのだろう。だがこうした人々の発信は驚くほどに一様で、そしてかなりの割合で情報の内容に対する検証を欠き、タイムラインの潮目を読んだだけの極めて表層的な内容に留まっている。だからこそ何ものでもない彼らは、その実タイムラインに流されるだけであるにもかかわらず、まるで、自分が内実を伴った意見を発信しているかのような、世界に素手で触れているかのような錯覚に陥ることのできるこの発信の快楽に溺れていく。そして、何ものにもなれない自らの人生を呪うことしかできない人々は、その現実から目をそらすための麻薬を用いることでより愚かに、凡庸に、そして卑しくなっていくのだ。

あるいは、こう考える人も多いだろう。問題は既にインターネットの、とりわけ本書が問題にしているメディアの次元にはない、と。もちろん、僕にもかつてそう考えた時期が存在した。

インターネットが本質的に「速い」メディアならその外側にある本質的に「遅い」メディ

ア、たとえば紙の本に戦略的に撤退すべきなのではないか。あるいはインターネットが代表するメディアの問題をその外側から解決するために、実空間に人々が集うコミュニティを拠点にすべきではないか、と。もちろん、これらの指摘は正しい。だから僕はとっくの昔にこれらのアプローチを実践している。僕の名前で検索すれば、僕が10年以上紙の雑誌や書籍を発行し続けていることや、近年は読者を組織して私塾的な勉強会の類を、それも自分の中心的な仕事として継続している事実が記録されているはずだ。そしてその上でもまだ足りないものを補うために僕はいま、「遅く」「インターネット」を使用する運動を提案しているのだ。

または、この種の批判も容易に想定できる。メディアからプラットフォームへの移行こそが、今日の情報環境の前提である。したがって、ディズニー的に映像の世紀に撤退する（今日の情報環境に最適化し、インターネット上で多くシェアされるものを目指す）戦略を取るか、GoogleやFacebookのようにインターネットのプラットフォームを洗練させることでの解決を試みるべきではないか、特に後者のアプローチこそが有効なのではないかと。

たしかに僕たちはメディアからプラットフォームへの移行が、人類を前に進めると強く信じていた。情報を単に受け止めるだけではなく、自ら発信することで人間はより熟慮し、多角的な視点から事物を吟味するようになると考えていた。しかし、いま僕たちはその前提を疑ってかかるべきだ。この四半世紀のあいだに発信能力を得た人類が証明したことは、この前提が誤りであったという端的な事実だ。たしかにインターネットは多様な情報発信を可能にするメディアである。だが同時にこのインターネットという素晴らしい装置は、発信能力を与えられたところで発信に値するものをもっている人間はほとんどいないことを証明してくれた。たしかに世界は多様だがこれらの多様さを確保しているのは一握りの天才と（言葉の最良の意味での）変態たちで、大抵の人間の考えていることは少なくとも自己評価ほどにはユニークではない。いや、はっきり言ってしまえば一様なものに過ぎない。そのことをインターネットは証明してくれたのだ。

誤解しないでほしいが、僕はインターネットが人々に与えた発信能力を取り上げるべきだとはまったく考えていない。ただ、僕らが「メディアからプラットフォームへ」を合言葉にして、人々に発信能力を与えることが、人類を前に進めることと同義だというイデオロギーを信奉することはもはや不可能だと告げているのだ。

この四半世紀のあいだに、人類の何割かは確実に発信することでより愚かになっている。少なくとも発信する能力を得ることで、その愚かさを表面化させている。この現実から、僕たちは目をそらすべきではない。何の知見もスキルもなく、ただ考えをダダ漏れさせることを手放しで礼賛できる時代は確実に終わった。もちろん、こうした匿名／半匿名ユーザーの集合知の生むクリエイティビティは否定しない。しかし、そのためには多くの幸福な偶然とシビアな条件が必要であることは（たとえばボーカロイド文化の勃興と衰退を考えれば）明白だ。僕たちは、インターネットの匿名性の生むクリエイティビティを正しく受け止めるためにも、匿名性が保証される場を選定し、限定しなければならないのだ。

インターネット上のプラットフォームはなし崩し的に発信者と受信者の境界を喪失させた。そしてその結果人々は発信の快楽に溺れることで、より安易に、愚かに、そして拙速になっていった。しかし、今日のインターネット・プラットフォームは情報をスローに受信させる術と動機をもたない。だから僕はあくまでメディアの、記事を発信する側のアプローチで読者に情報をスローに受信する文化を育成しようと考えている。そしてその上で読者たちにスローに再発信するノウハウを共有することができないかと考えている。

あたらしい酒はあたらしい革袋に。この四半世紀僕たちは革袋の更新に夢中になってきた。あたらしい革袋を作り出せば、そこにあたらしい酒が湧いて出てくると信じていた。だが、少なくとも半分はその考えは間違っていた。僕たちはあたらしい革袋に相応しいあたらしい酒を注ぐ必要があるのだ。そのため「遅いインターネット」は一見、「ただのウェブマガジン」の形式を取る。その最大の特徴は形式ではなくあくまでその内容にある。そのレベルでしか伝えられないものがあるからだ。

そしてその上で、読者をコミュニティ化し、僕たちが試行錯誤して身につけてきた発信のノウハウを、情報を吟味し、解釈し、再発信するノウハウを読者たちと共有化する運動を立ち上げる。「遅いインターネット」とは、「ネットサーフィン」という言葉が生きていたころのウェブマガジンへの回帰と、現代の「速すぎる」ソーシャルメディアの状況に（批判的に）対応した質の高い情報発信を学習するコミュニティとが連動した運動なのだ。そしてこのとき参考になるのが、２０１０年代のヨーロッパに勃興したスロージャーナリズムの潮流だ。

スロージャーナリズム

近年は国内にも紹介されることが多くなったが、欧米を中心にスロージャーナリズム［※31］と呼ばれる運動が注目を集めている。具体的には現代の「速い」インターネットで量産される単純化された議論やフェイクニュースに対する反省として、時間をかけた調査報道を前提とした良質な情報発信を行うインターネットメディアが勃興しているのだ。代表的なものとしては、オランダの「デ・コレスポンデント（De Correspondent）」やイギリスの「ディレイド・グラティフィケーション（Delayed Gratification／ＤＧ）」などが挙げられる。

これらのスロージャーナリズムと呼ばれるメディアは、基本的に自社による取材と記事作成を前提としている。つまり、既に拡散しているニュースにコメントを加えることで安価かつ簡易に記事を量産すること（これは、効率よく閲覧数を稼ぐために、世界中のインターネットニュースサイトが行っていることだ）を拒否しているのだ。そのため、調査報道の多くがそうであるように事案の発生から報道までの時間は長い。ある出来事が発生して、それがマスメディアによって報道され、インターネットメディアがそれをリサイクルして情報が拡散する段階——つまり、人々がその話題に夢中になっている「旬」の時期——に、多くの場合は彼らの記事配信は間に合わない。そしてこの「遅さ」は主に、報道する出来事そのものの選定とファクトチェック、そして記事自体の精査に費やされている。記事の多くは、インターネットニュースの標準よりも長く、そして専門的だ。これは商業的には一見、不利な条件だがこれらのメディアの多くはそれでも、いや、それだからこそこのメディアの記事を読みたいという購読者たちの定額課金によって成立している（前述のDGの購読料は、日本円にして月に5000円ほどだという）。

これはスロージャーナリズムがメディアであると同時にコミュニティでもあることを意味している。スロージャーナリズムの読者たちは、既存のマスメディアの画一的で、保守的な誌面に満足していない。そして同じように新興のインターネットメディアの記事の質の低さにも辟易（へきえき）としている。その結果として自分たちで割高な購読料を支払い、自分たちに必要なメディアを支えるという意識が存在しているのだ。スロージャーナリズムの多くに、メディアの運営と並行して読者のコミュニティが強力に発生しているのはそのためだ。

僕はこの潮流を前提として支持する。だが僕が考えているのはもう少し別のことだ。良質な情報を提供することは前提として重要だ。だが、それがどれほど周到に、慎重に取材され、精査された結果として発信された記事であったとしても、それを受け止める読者が育っていなければ、目に入れたいものだけを目にし、信じたいものだけを信じ、発信する快楽に身を任せてしまうのであれば意味はない。愚かで卑しい読者はどれほどスローに発信された情報もファストに受信し、そしてファストに発信するだろう。

少し意地の悪いたとえ方をするのなら、いまインターネットの、とりわけTwitterでニュースにコメントを（仕事でもないのに）加えることに夢中になっている「ような」人々が、果たしてスロージャーナリズムの調査報道を、スローに読むだろうか。

そう、問題は「速度」だけではない。情報にアクセスする速度を、人間の側に取り戻すこと、ときにはあえて「遅く」動くことは前提に過ぎない。繰り返し述べるが、速度の自由で僕たちが手に入れなければならないのは、むしろ情報への（正確には情報化された世界への）進入角度と距離感を自分自身の手で調整できる自由なのだ。

ほんとうのインターネットの話をしよう

スロージャーナリズムは前提として支持する。しかしそれだけでは足りない。そこで、僕はまずこうしたスロージャーナリズムの手法を踏襲しつつ、自分たちがスローな発信を行うだけではなく、スローに読み、考え、そして発信できる読者の育成に主眼を置きたいと考えている。

まず僕はメディア（発信）とコミュニティ（受信）との関係を、僕なりのかたちで結び直そうと考えている。そのために「一旦」両者を切断する。現代のインターネットのプラットフォームたちの与える安易で拙速な発信のもたらす快楽を、人々に一度忘れてもらう。まず彼ら彼女らには良質な読者として成熟することを目的にしてもらう。それに並行して、もう一度良質な発信を身につけてもらうのだ。プラットフォームではなくメディアからのアプローチで、そして「モノ」ではなく「コト」によるアプローチでこの情報社会に対する距離感と進入角度を提示すること。それが僕の考えたコンセプトだ。

このメディアは主に前述の「発信」ノウハウを学ぶコミュニティからの収益によって運営される。クラウドファンディングによる個人のパトロンやスポンサー企業も募集するが、記事内容について一切関与しないことが条件だ。閲覧数に応じて広告収入を獲得するサービスの導入は原則として行わない。

ここで閲覧数と収入が直結するモデルを採用した途端に、このウェブマガジンも他の多くのメディアと同様に、「ムラ」で注目を集める話題（大抵の場合は、失敗したり目立ちすぎたりした人物への非難）に扇情的な見出しをつけて関心を集める卑しい行為に手を染めることになってしまうだろう。

だからあくまで、このメディアはもうひとつのインターネット言論空間の構築を目的としたクラウドファンディングと読者コミュニティからの収益によって運営する。

こうすることでほんとうに価値があると信じられる記事を、高い質で送り出すことができるようになる。このモデルで持続的なメディアを作り、その質が一定の評価を受ければ、後続のメディアの発生を促すこともできるだろう。そのこと自体が、世の中に対するメッセージになるはずだ。まずは小さくても長く続けられる成功例が生まれてモデルケースになることが重要なのだ。

「遅いインターネット計画」の経済的母体である僕の運営するメディアの読者コミュニティ（PLANETS CLUB）には、いま様々な分野で活躍するメンバーが集っている。僕と同じような出版や放送で活躍する人もいれば、IT関連の起業家や投資家もいる。メーカーの営業やリサーチャーもいれば、働き方改革のエヴァンジェリストも所属している。駅前のパン屋のオーナー職人もいれば、バスケットボールのプロ選手もいる。医者や建築家、僧侶といったスペシャリスト、漫画家、デザイナーなどのクリエイターも所属している。もちろん、普通の学生や主婦もたくさん所属している。僕はこのような多様なクラブメンバーにとって、この場所が家庭とも職場とも違ったサードプレイスとして機能することを目論んでいる。

「遅いインターネット計画」のウェブマガジンに、コメント欄はつけないし、技術的に可能であればはてなブックマークやNewsPicksといったソーシャルブックマークの類はすべてブロックしようと考えている。他人の書いた記事に対して後出しジャンケン的にマウンティングすることがインターネットのインタラクティブ性ではない。そんなことよりも、住んでいる場所や所属している業界の垣根を越えて集まった仲間たちが、ゆるやかにつながりひとつのメディアを運営する。それだけで、いやそのほうが「インターネット的」なのだ。

その上でコミュニティの側では受信と発信ノウハウ、つまり「読み方」と「書き方」の共有を行う。ある情報に接したとき、まずその情報自体をしっかりと消化する方法が必要だ。読書メモ、視聴メモの取り方から背景知識の調べ方までを共有する。そして次の段階として、それを自分の発信に昇華する方法を共有する。ソーシャルメディア上のコメントのような安易な発信ではなく、議論を具体的に前に進めるための発信とは何か、そのために何が必要かを共有する。こうして、ひとり、またひとりと「遅いインターネット」的に情報を発信するユーザーが増えていくことに、即効性こそ期待できないがボディブロー的に期待できる効果があると僕は考えている。

これからインターネットを用いて不特定多数に発信するスキルは、決してメディアや広報関係の仕事についている人だけに必要とされるものではない。むしろ公私に亘って、僕たちの社会生活の基本的なスキルになるはずだ。しかしその反面、世の中に何か自分の考えを述べたいが技術が追いつかなくて、コメント欄やソーシャルブックマークでタイムラインの潮目を読んで同調圧力に加担してしまうというケースは意外に多いはずだ。またこういう卑しい「発信」をしてしまう人が目立ってしまういまのインターネットにウンザリして、自分が発信することに二の足を踏んでいる人も多いはずだ。だがもはや僕たちは「書く」ことから逃れることはできない。

そう「書く」こと、「発信する」ことはもはや僕たちの日常の生活の一部だ。この四半世紀で、「読む」ことと「書く」ことのパワーバランスは大きく変化した。前世紀まで「読む」ことと「書く」ことでは前者が基礎で後者が応用だった。「読む」ことが当たり前の日常の行為で「書く」というのは非日常の特別な行為だった。しかし現代では多くの人にとっては既にインターネットに文章を「書く」ことのほうが当たり前の日常になっている。そして（本などのまとまった文章を）「読む」ことのほうが特別な非日常になっている。これまで僕たちは「読む」ことの延長線上に「書く」ことを身につけてきた。しかし、これから社会に出る若い人々の多くはそうはならない。彼ら／彼女らの多くはおそらく「書く」ことに「読む」ことより慣れている。現代の情報環境下に生きる人々は、読むことから書くことを覚えるのではなく、書くことから読むことを覚えるほうが自然なのだ。これは現代の人類が十分に「読む」訓練をしないままに、「書く」環境を手に入れてしまっていることを意味する。だが、かつてのように読むこと「から」書くというルートをたどることは、もはや難しい。それは僕たちの生きているこの世界の「流れ」に逆らうことなのだ。

ではどうするのか。現代において多くの人は日常的に、脊髄反射的に、たいした思慮も検証もなく「書いて」しまう。ならば「読む」ことと同時に「書く」ことを始めるしかない。いや、より正確には訓練の起点は「書く」ことになるはずだ。まずはプラットフォームの促す脊髄反射的な発信ではない良質な発信を動機づけ、その過程で「書く」ためには「読む」ことが必要であることを認識させる。そして「読む」訓練を経た上でもう一度「書く」ことへの挑戦を求める。「読む」ことではなく「書く」ことを起点にした往復運動を設計する必要があるのだ。

ではこの時代に求められているあたらしい「書く」「読む」力とは何か。たとえば能力は高くないけれど、なにか社会に物を申したいという気持ちだけは強い人がいまインターネットで発言しようとするとき、彼／彼女はその問題そのものではなくタイムラインの潮目のほうを読んでしまう。そしてＹＥＳかＮＯか、どちらに加担すべきかだけを判断してしまう。タイムラインの潮目を読むのは簡単だ。その問題そのもの、対象そのものに触れることもなく、多角的な検証も背景の調査も必要なくＹＥＳかＮＯかだけを判断すればよいのだから。しかし、具体的にその対象そのものを論じようとすると話はまったく変わってくる。そこには対象を解体し、分析し、他の何かと関連付けて化学反応を起こす能力が必要となる。

そして価値のある情報発信とは、ＹＥＳかＮＯかを述べるのではなく、こうしてその対象を「読む」ことで得られたものから、自分で問題を設定することだ。単にこれを叩く／褒めるのが評価経済的に自分に有利か、不利かを考えるのではなく、その対象の投げかけに答えることで、新しく問題を設定することだ。ある記事に出会ったときにその賛否どちらに、どれくらいの距離で加担するかを判断するのではなく、その記事から着想して自分の手であたらしく問いを設定し、世界に存在する視点を増やすことだ［※32］。既に存在している問題の、それも既に示されている選択肢（大抵の場合それは二者択一である）に答えを出すのではなく、あらたな問いを生むことこそが、世界を豊かにする発信だ。

「書く」ことと「読む」ことを往復することの意味はここにある。単に「書く」ことだけを覚えてしまった人は、与えられた問いに答えることしかできない。しかし対象をある態度で「読み」、そこから得られたものを「書く」ことで人間はあたらしく問いを設定することができる。そうすることで、世界の見え方を変えることができる。

あらたな問いを生む発信は、既に存在する価値への「共感」の外側にある。人々はインターネットである情報を与えられ、それに「共感」すると「いいね」する。このとき、その人の内面に変化は起きない。それがよいと予め思っていたからこそ「いいね」する。しかし問いを立てる発信は違う。国会を取り巻くデモ隊と、それを取り締まる機動隊のどちらに「共感」するかという回答を行う発信は世界を少しも変えはしない。しかしそこに人出を見込んでアンパン屋を出す人々の視点を導入することで、あらたな問いが生まれる。世界の見え方が変わるのだ。

こうした価値の転倒は、「共感」の「いいね」の外側にある。人間は「共感」したときではなくむしろ想像を超えたものに触れたときに価値転倒を起こす。そして世界の見え方が変わるのだ［※33］。

そして価値転倒をもたらすのは「報道」の役目ではない。僕がスロージャーナリズムのように「報道」に主眼をおかない理由がここにある。事実を報じることは前提として必要だ。しかしそれだけでは足りない。僕たちはその事実に対してどのように接するのか。その距離感と進入角度を変えるための言葉が必要なのだ。そして様々な距離と角度から対象を眺め、接することではじめて人間はその事物に対しあたらしい問いを設定することができるのだ。そう、その行為に僕はいま改めて「批評」という言葉を充てたい。「報道」が伝えることができるのは、ある事実の一側面だ。そして「批評」はその事実の一側面と、自己との関係性を考える行為だ。距離感と進入角度を試行錯誤し続ける行為だ。「報道」は世界のどこかで生まれた「他人の物語」を伝える。報道を受信した人々はそれを解釈して「自分の物語」として再発信する。このとき与えられた問いにYESかNOか、0か1かを表明することだけでは世界は貧しくなる。このときあたらしく問いを立て直し「共感する／しない」という二者択一の外側に世界を広げるためには「批評」の言葉が必要なのだ。

「批評」とは自分以外の何かについての思考だ。それは小説や映画についてでも構わない。料理や家具についてでも構わない。それは、対象と自分との関係性を記述する行為だ。そこから生まれた思考で、世界の見え方を変える行為だ。最初から想定している結論を確認して、考えることを放棄して安心する行為ではなく、考えることそのものを楽しむ行為だ。ニュースサイトのコメント欄やソーシャルブックマークへの投稿で大喜利のように閉じた村の中でポイントを稼ぐことで満たされるのではなく、よく読み、よく考えること、ときに迷い袋小路に佇むことそのものを楽しむ行為だ。

誰かが批評を書くとき、書かなくとも批評に触れて世界への接し方が変わるとき、それは紛れもなく自分が発信する自分の物語の発露になる。しかしそれはあくまで自分についての言葉ではない。自分の物語でありながら自己幻想には直接結びつくことはない。何かについて書くこと（批評）は、自己幻想と自己の外側にある何か（世界）の関係性について言葉にすることだ。それは不可避に自己幻想の肥大するこの時代に、より必要とされる言葉なのだ。

こうした「書く」ことと「読む」ことの往復運動を身につけることは、自己幻想のマネジメントに直結する。「ほぼ日」がいま、「コト」から「モノ」に撤退しているのは、それが単に受信だけを念頭に置いたメディアだからだ。「モノ」への撤退——つまり消費による自己実現という80年代的な回路への撤退——によって「ほぼ日」が階級的、世代的に閉じてしまっていることは前述した通りだ。そして「ほぼ日」は受信すること（消費すること）によって読者の内省を促すことには成功しているが、発信のノウハウを共有することには失敗している。このモノへの撤退と発信の断念は、今日の「ほぼ日」の（表面的な）非政治性という最大の弱点と重なり合っている。「ほぼ日」はメディアに連動したコミュニティをもたない。理由は明らかだ。「政治的ではない、という政治性」を重視する糸井はコミュニティをもつことで自動的に発生する権力と政治性を倫理的に拒否しているのだ。

対して「遅いインターネット」の軸足は、あくまで「コト」の次元に留まる。それは階級的、世代的に閉じないためだ。それ以上に、「モノ」の所有よりも「コト」のシェアが優位になる世界に対して、単に距離を取るだけでなく、進入角度を試行錯誤しながらときには距離を詰めるためだ。それが自己幻想のマネジメントをすべての人類が不可避に要求される時代には必要なことだと考えるからだ。だから「遅いインターネット」はしっかり読ませて、しっかり書かせる。読者と一緒に考えて、そして書く。既に存在している問いの答えを探すだけではなく、あたらしく問いを立てることで世界を豊かにするのだ。

そしてこれまでの僕の活動がそうであったように政治的な態度表明は必要に応じて行う。かつての前衛党のように共同幻想に取り込まれてはいけない。しかし、政治的なものに対し、背を向けてもいけない。コミュニティの同調圧力に埋没してはいけないが、コミュニティを作ることから逃げてもいけない。政治的なものからも、コミュニティをもつ責任からもほどよい距離感と進入角度を試行錯誤し続ける運動が「遅いインターネット」なのだ。

走り続ける批評

もしあなたが世界に素手で触れたいと考えたとき、まずインターネットにアクセスするだろう。しかしいまの「速すぎる」インターネットに流されると、それは素手で触れているつもりで、単に考える力を失ってしまうことになる。むしろそのほうが楽だと無意識に選択する人が大半だろう。だがこうして、民主主義が自由と平等を破壊しつつあるいまだからこそ、ひとりでも多く考える力をもった人材を輩出する必要がある。

だからこそ情報環境の進化が自己幻想を肥大させる時代に、「速すぎる」インターネットが世界を飲み込む時代にいちばん必要なのはもっと「遅い」インターネットだ。そしてこの運動で僕たちが手に入れるべきものは自己幻想をマネジメントし、その速さを主体的にコントロールする力だ。それは言い換えれば世界に対する多様な距離感と進入角度を試行錯誤し続ける力だ。「遅さ」はこの自由を確保するための手段に過ぎない。この自由を行使することで僕たちは既に存在している問いの答えを探すだけでなく、あたらしく問いそのものを生み出すことができる。そしてそのことで世界を豊かに、より多様にすることができる。

重要なのはどこにゴールを設置し、どうやってそこにたどり着くかではない。走り続けられる足腰を作り上げ、そして維持することなのだ。

僕がこの数年、走ることを習慣にしていると本書の冒頭に述べたのを思い出してもらいたい。僕の目的は速度を上げることでもなければ筋力をつけることでもない。だから大会で記録を残すことにも、筋力トレーニングの成果を鏡で確認することにも興味はない。僕が好きなのは走ることそのものだ。単に何の目的もなく、ただただ走ることそれ自体を楽しんでいる。

走るというのは、とても主体的な行為だ。歩くときも、乗り物に乗っているときも、僕たちは一定の速度で世界に接することをいつの間にか強いられている。けれど、走るとき僕たちは自分の身体の許す範囲で自由な速度で移動することができる。走るときにもっとも僕たちは世界に対しての距離感と進入角度を、自由に設定できるのだと思う。

たとえば走ることで、普段暮らしている土地に対する解像度が上がる。重力に身を任せて歩くよりも少しだけ抗って走るほうがよりはっきりと土地の高低と水の流れを感じ、街の歴史と道や区画ごとの役割を知ることになる。あの街からあの街までは、電車でいつもこれくらいの時間がかかるのだと漠然と把握していた距離を、足で知ることになる。日々走ることで、いつも目にしている風景がまるで違って見えるようになるのだ。

出張や旅行で訪ねた街で走るのも好きだ。京都で、福岡で、パリで、香港で、シリコンバレーで……この3年、行く先々で走ってきた。旅先で僕たちは常に余所者だ。しかし朝の街を走っているときだけはその街の風景に溶け込むことができる。すれ違いざまに挨拶してくる現地のランナーもいる。普通に街を歩いていても、なかなか声をかけられることはないが、走っているとたまにある。走ることは半ば匿名化して、風景に溶け込むことでもあるのだと思う。僕はその感覚が、とても好きだ。

人間は何の目的もなく、ただ身体を動かすことそのものを楽しむ時間には、世界との距離感と進入角度をとても自由に試行錯誤することができる。それと同じことが「書く」ことにも「発信する」ことにも言えると思うのだ。

僕がこの「遅いインターネット」計画で読者と共有したいのは、この走ることのもたらす豊かさのようなものだ。そして走り続けるための足腰の強さのようなものだ。これらを言葉と向き合うことで身体ではなく精神のレベルで手に入れることだ。情報に対する速度を、距離感を、進入角度を、自分が、主体的に自由に決定すること。この快楽を、僕はたくさんの読者に共有してもらいたいと思っている。

20世紀にラジオ、テレビによる放送中継によって絶大な動員力を誇ったのがオリンピック／パラリンピックに代表される競技スポーツだ。

対してこの21世紀に現役世代の支持を集め拡大しているのがランニングやヨガに代表されるライフスタイルスポーツだ。(他人の物語を)「観る」スポーツから(自分の物語として の)「する」スポーツへ。非日常への動員から日常の生活へ。いま、現代人の身体は世界との関わり方を変えつつある。

同じことがインターネット上の「情報」にも言えるはずだ。

20世紀において僕たちは報道という「他人の物語」を受け取ることでモニターの中のアーティストやアスリートの活躍する非日常に感情移入し、コメンテーターの視聴者を代弁する発信に頷いて日常をやり過ごしてきた。

だが21世紀の今日において重要なのは、その「非日常」の「他人の物語」をどう「日常」の「自分の物語」としていくかだ。「報道」された事実を、「他人の物語」を知ったことでどう自分の考えが、世界の見え方が、距離感と進入角度が変化するかだ。ここで、「自分の物語」を編み直す力を蓄えなければ、結局人間はインターネットの「速さ」に流されてしまう。非日常に動員され、自分で考える力を失い、「自立」することができなくなる。重要なのは報道=競技スポーツを観ることではない。与えられた「他人の物語」を批評=ライフスタイルスポーツのように「自分の物語」として編み直すこと、自分の足で走ることなのだ。

「書く」という行為は世界との距離感や進入角度を測る行為でもある。目の前の日常を大切に生きながら、遠くのことや大きなものについても考える。日常の中にそれを壊さないかたちで、でも確実に裂け目を入れてそこからまったく違う世界のことを流し込む。そうすることで、世の中の速度から距離を置いて自分のペースを守ることができる。日々の暮らしの中に、半径数メートル以内のことだけに埋没しないためには、世界における自分の位置を正しく把握する視線（世界視線）が必要だ。そして逆に世界のことを神の視点から語ることに埋没し、等身大の自分が生きる世界のことを忘れないためには自分が立っているこの場所に深く潜る視線（普遍視線）が必要だ。「書く」という行為は、このふたつの視線の往復運動を行い、そして前者の中に程よく後者を組み込むための試行錯誤なのだ。そしてこの世界に対する距離感と進入角度の試行錯誤を継続することこそが自己幻想の肥大に耐え得る主体の条件だ。

「書く」という行為を通じてはじめて、人間は自己幻想が肥大する時代に程よく付き合っていくことができるのだ。だから僕たちがオリンピック／パラリンピックを報道してそれを読者が「読む」だけではなく、読者と一緒に走ることを「書くこと」を楽しむ。それが僕の考えるいま必要なもっと「遅い」インターネットだ。

箕輪厚介の担当で幻冬舎から本を出す企画があると述べたら、旧い友人たちから「業界から嫌われるので彼とは付き合わないほうがよい」と言われた。そして僕はその瞬間に次の本は必ず箕輪と作ると決めた。表では「分断を許さない」と述べるリベラルで文化的な出版人たちが、裏では誰それと付き合うと次は君が村八分に遭うぞとそれも善意で忠告してしまう、という現実がどうしようもなく嫌だったからだ。

だから、この本は肯定する本にしようと考えた。「……ではない」ではなく「……である」と語る本にしようと思った。それは、冒頭で紹介した僕の雑誌『PLANETS vol.9 東京2020オルタナティブ・オリンピック／パラリンピック・プロジェクト』の復讐戦でもあった。あのとき、僕たちは「……ではない」ではなく「……である」という言葉で戦った。僕は2020年の東京オリンピック／パラリンピックには一貫して反対だ。そしてだからこそどこかで誰かが甘い汁を吸っているに違いないと否定するのではなく、どうせならこうするべきなのだという「対案」を示すことが重要だと考えたのだ。しかし前述した通り人々が関心を払ったのは新国立競技場の予算額と公式エンブレム案をめぐるスキャンダルのほうで、僕たちの示した「対案」ではなかった。人々が「……ではない」という否定の言葉でつながる快楽に酔いしれていることを、僕は過小評価していた。

あれから5年が経った。「……ではない」という否定の言葉は、情報環境に支援されてますます拡大していた。

この5年の間に、僕は少しだけ考え方を変えた。あのころ僕はオリンピック／パラリンピックという他人の物語を、他人ごとをどう自分の物語に、自分ごとにするかを考えてオルタナティブ・オリンピック／パラリンピック・プロジェクトを企画した。けれど、いまの僕はどちらかと言えば自分の物語をどう生きるかに関心がある。もちろん、自分たちの手掛けたオルタナティブ・オリンピック／パラリンピック・プロジェクトを否定する気持ちはまったくない。むしろ逆でこれから東京が、日本が直面する問題をこのレベルで網羅的に洗い出して、きちんと対案を示している本は他にないと思う。ただ、いまの僕は他人の物語＝オリンピック／パラリンピックをどうアップデートするかよりも、人々が自分の物語をどう語るのかに関心がある。だから僕は、走りはじめた。僕は週に二度か三度の頻度で、自分の足で走るようになった。そして走りながら考えてきた。もう少し別の角度から進入して、距離を詰めて、届かなかった言葉を届けるにはどうしたらいいかを試行錯誤してきた。答えはまだ出ていない。いや、答えは常に変わり続ける。だから走り続けることが大事なのだ。「遅いインターネット」とは、僕なりの走り続けるためのメディアとコミュニティだ。この本が発売されるころには試験運用がはじまっているはずだけれど、どうなるかは分からない。けれど、試行錯誤しながら、ゆっくりいいものにしていけばいいと思っている。なんせ「遅い」インターネットなのだから。

ここで、謝辞を述べさせてほしい。この本は実のところこれまでの僕の本でもっとも難産の一冊になった。理由はいくつかあるのだけれど、いちばんの理由はこれがほんとうの意味で走りながら考える本だったことだ。「遅いインターネット計画」を手探りで進めながら、気づかされることがあるたびに何度も、何度も書き直した。これはいままでの僕にはなかった経験で、こたえるものがあった。だが、走りながら考えることの面白さも同時に知ることができたのは間違いない。これからもたぶん、僕は走り、考えながら書いていくだろう。

だから、半年以上の脱稿の遅れを我慢強く待ってくれた幻冬舎の箕輪厚介さん（とゲラ戻しの遅い僕に忍耐強く付き合ってくれた山口奈緒子さん）には感謝の言葉もない。僕が彼と付き合っていることを指弾されているように、彼にも（僕と違って気にしないだろうが）敵の多い僕と付き合っていることで、面倒をかけていると思う。僕と彼は、政治的にも倫理的にも趣味的にも、合わないところのほうが多いと思う。彼の振る舞いに苦言を呈したことも一度や二度じゃない。きっと面倒くさいやつだと思われていると思う。けれど、僕の言葉を彼は（酩酊さえしていなければ）必ず真摯に受け止めてくれる。そして箕輪とは付き合うなと僕に忠告する人たちは多いけれど、彼が僕に誰かと付き合うなと言ったことは一回もない。この一点をもってして、僕は箕輪を支持する。というか、有り体に言えば、僕は彼が好きだ。

　草稿に対して丁寧なアドバイスをくれた中川大地さんは僕と「遅いインターネット」計画をともに進めてくれる長年のパートナーであり、頼れる兄貴分だ。数ヶ月前に完全に執筆に行き詰まっていた僕は本書の冒頭から第2章までの草稿を突然送りつけて、意見を求めた。そして全体の内容には太鼓判を押してくれる一方で、細部には適切なアドバイスをくれた。このやり取りがなければ、本書は脱稿できなかっただろう。

　そして僕の主宰するユニット「PLANETS」の若いスタッフたちとPLANETS CLUBメンバーのサポートがあってはじめて、僕はものを考え、書く環境を手に入れている。経営にはほとんど関心を示さない僕についてきてくれた彼ら彼女らは、決して計算高く小器用なタイプではないと思う。だから、その分、まずは彼ら彼女らにゆっくりものを考え、そして発信する環境を整えたいと思うし、僕のもっているささやかなノウハウを共有しようと思っている。「遅いインターネット」はまずは新宿区高田馬場のあのビルからはじまるべきなのだ。

豊田素行さんには、構想段階で吉本隆明の再解釈について教示をいただいた。豊田さんは僕が物書きになろうと考えるきっかけを与えてくれた人でもある。ゆっくり走り続けながら考え、書くこと。等身大の日常に潜ることと世界を遠くから眺めることを接続する思考法。この本は、親子以上に年齢の離れた豊田さんから駆け出しのころに受け取ったものを、少しでもかたちにすることに挑戦した一冊でもある。

クラウドローについて教示をいただいた隅屋輝佳さんは、一般社団法人Pnikaのリーダーとして、まさにこの国で情報技術を用いたあたらしい政治運動を実現しようとしている人物だ。本書の第二の提案に興味を抱いた読者は、ぜひPnikaの活動をフォローしてほしい。彼女のような若い才能の挑戦を支援することは僕がこれから手掛けていきたい仕事の最たるものだ。

この「走りながら考える本」はたくさんの仲間たちとの議論の産物だ。乙武洋匡さん、ハリス鈴木絵美さん、前田裕二さん、村本大輔さん、佐渡島庸平さん、家入一真さん、古川健介さん、吉田尚記さん、西野亮廣さんなどなど、議論に参加してくれた仲間たちは挙げればきりがない。僕はこうして一緒に走り続けてくれる仲間たちがいることを、心から誇りに思う。

最後に、この本が発売されるころには僕たちのあたらしいメディア「遅いインターネット」の試験運用がはじまっているはずだ。速度は決して速くない。いや、むしろ「遅い」。けれど、「遅い」からこそ、僕たちはどこまでも走り続けることができる。どんなかたちでも構わない。ほんの少し覗くだけでも構わない。一緒に走ってくれる仲間を、僕たちは待っている。

２０１９年12月　宇野常寛

【注釈】

※1 『PLANETS vol.9』(2015年1月発売)(P10)

筆者が主宰する総合批評誌「PLANETS」の第9号。2020年の東京オリンピック/パラリンピックの実施案に対し、より建設的な「対案」を提案するため、猪子寿之(チームラボ代表)、乙武洋匡(作家)などが結集して開会式の演出プラン、オリンピック/パラリンピックの垣根を越えた新競技の提案、2020年の招致に連動した東京の都市改造計画などを一冊にまとめ上げた。

※2 平成とは「失敗したプロジェクト」である(P14)

(以下引用)〈「平成」というのは要するに失敗したプロジェクトだと思います。そのプロジェクトとは、グローバル化と情報化という世界史的な二つの大きな波を正しく受け止め、戦後の社会をアップデートすることです。しかしこのアップデートを担った「改革」は、完全に失敗に終わった。

この場合の改革は要するに二大政党制に基づいた成熟した民主主義を目指し、小さな政府を志向する構造改革路線でグローバル資本主義に対応していこう、というものです。「改革」勢力を担う指導者がポピュリズムで旧自民党的な縁故主義に対抗するというのがこの時期の構図です。しかしどの改革勢力の覇権も一過性で、気がつけば批判票を野党に与えながら自民党の内部改革を祈ることしかできない55年体制に近い状況に戻ってしまった。

僕の考えでは、「改革」勢力がポピュリズム戦略を取ってしまったのが頓挫の原因です。彼らはポピュリズムに頼るのではなく、「風」が吹いている間に旧自民党や共産党を支える票田組織に対抗するコミュニティーを、都市のホワイトカラー層の受け皿としてつくりあげるべきだったと思います。インターネットの普及した今、それも不可能ではないはずですが、彼らはテレビもネットもポピュリズム的な動員の手段としてしか使えなかった。これが失敗の本質です。

日本社会が、昭和の成功体験を忘れられないのも大きいですね。1964年の五輪は復興と高度成長の象徴であると同時に、経済発展のための国土整備の錦の御旗だったはずです。2020年の五輪にはしっかりした構想が何もなく、なんとなく「五輪が来ればあの頃に戻れるかも」なんてバカな期待が渦巻いている。

はっきり言って、国単位で見れば、日本に希望はありません。ただグローバル化の帰結で、国家と個人の間の都市や企業といった中間のものが担えることが増えている。この中間の規模のものが国家を横に置いて海外に開き、新しい産業や文化に接続していくことには希望はあると思います。〉（朝日新聞2017年8月30日掲載）

※3（P16）

公益財団法人 日本生産性本部「労働生産性の国際比較 2019」

https://www.jpc-net.jp/intl_comparison/

https://www.jpc-net.jp/intl_comparison/intl_comparison_2019.pdf

※4（P22）

戦後日本において、永らく政権担当能力をもつのは自民党のみだった。そして同党は実質的には親米から反米、新自由主義者から社会民主主義者までを包摂する呉越同舟の寄り合い所帯であり、イデオロギーや政策ではなく、政官財のコネクションのノードとして成立した政党だった。対する社会党をはじめとする野党は、基本的に政権を担当する能力もなければその意思もなかった。彼らの役目は、事実上の一党独裁に支配されたこの国に表面的には民主主義が成立しているという体裁を整えることだ。

その結果として、何が起こったか。与党自民党は非民主的でクローズドな利害調整機関となり、政策を置き去りに政局ばかりが肥大する組織に変貌していった（思想や政策で結びついた集団ではないので、当たり前だ）。対して社会党をはじめとする野党は実現可能性を度外視した理想論をマスメディアで喧伝し（永遠に政権を獲得しない前提なのでこれが可能になる）、政府への批判票を集め一定数の議席を確保するだけの存在になっていった。

こうして、戦後日本の議会制民主主義はその機能を失ったのだ。露悪的な現実主義者は、「とはいえ社会はこういう仕組みでしか回っていないのだから」としたり顔で「世間」を語ることに酔い現状を改善する意思を失い、偽善的な理想主義者は「実現可能な理想ではなく、絵空事のような理想を語ることがほんとうのロマンティストなのだ」と自分に酔い、現実を変えるための知性を放棄する。そして国民たちは「ベストよりベターを選ぶのが民主主義」なのだと普段は中選挙区の与党候補の中から少しでもマシに見える人間をウンザリしながら選び、時々はいつかやってくる日本のほんとうの民主主義の成熟のために、1％も実効性を感じていない政策を掲げる野党に「批判票」を入れて満足する。これがいわゆる「55年体制」下の民主主義だ。この茶番じみた体制を打破することを試みたのが、平成の「政治改革」だった。

この状態を打破すべく1990年代に「政治改革」が問われはじめたころ、都市の「無党派層」が注目を集めはじめていた。これは考えてみれば滑稽な話だ。要するに戦後半世紀を経ようとしていたこの時代においてもまだ、この国の選挙といえば基本的に農村や漁村の土着的なコミュニティに根ざした組織票と、都市部のブルーカラー層を囲い込んだ宗教団体や労働組合を母体とする組織票でほぼほぼ趨勢が決定されていたのだ。そのためこうした前時代的な組織票システムの外側にいる都市部の相対的に若いホワイトカラーたちの存在は、「無党派層」としてこの時期選挙の結果を大きく左右する存在になったときに新時代の到来を象徴する現象として「驚き」をもって迎えられたのだ。そして、他の多くの国々でそうであったように、いや、他国のそれよりも深刻な度合いで、この「無党派層」はマスメディア、特にテレビ上で流布される表面的な印象で投票先を決める愚民的な大衆として機能した。

彼ら彼女らの大半に具体的な政策を理解する意欲はそもそも存在せず、テレビ上の印象で投票先を決めていった。これを「退化」として嘆く必要はないだろう。「いつもお世話になっている先生に投票しよう」と考える人と、「ワイドショーで見たけれど、なんとなく人柄がよさそうなあの候補者に投票したい」と考える人と、そう知性と社会的責任感に開きがあるとは思えない。「考えない」理由が人間関係から、テレビの印象操作に変わっただけだ。

そして「平成」の改革者たちはいずれも、例外なくテレビポピュリストたちだった。ポピュリストたちの支持基盤は、なんとなくテレビの報道番組を眺めて、なんとなくこちらが善玉でこちらが悪玉だろう、と見当をつける無党派層であり、彼ら彼女らは思想にも政策にもほとんど関心はなかった。ましてや、ポピュリストたちの掲げる「改革」が自分たちの生活にどう関わるかを想像することはできるわけもなかった。しかし、だからこそ彼ら彼女らはときに「痛みを伴う改革」に「よく考えず」支持を与えたのだ。そしてそんな気まぐれな無党派層たちは、次の選挙では、あるいは次の次の選挙では、かつてポピュリストたちに支持を与えたときと同じように「よく考えず」改革の放棄に支持を与えた。その結果、ポピュリストたちのうちほとんどは政権の安定操縦すら叶わずに、国民に政治漂流の苦い記憶を残すことしかできなかった。

※5（P24）

もしあなたが少しでも自分の考える力を伸ばしたいのなら、まずはFacebookやTwitterのタイムラインに流れてくる他の誰かの言葉をリツイートするのを止めるべきだろう。その言葉をリツイートすることによって、あなたは何かを考えた気になるのかもしれないし、その識者の鋭い指摘を理解しているとフォロワーに訴えることができると思っているのかもしれない。そしてこの程度のことしか考えられず、それを実行に移す程度の人物とは積極的に距離を置くべきなのは明白だ。筆者は数年前からこの種のリツイートを頻繁に行う人物とは、公私ともに距離を置くようにしている。

※6（P26）

『機動警察パトレイバー2 the movie』（1993年）より。同作については『母性のディストピアⅡ発動篇』（ハヤカワ文庫JA）で詳細な批評を試みている。

※7（P39）

アントニオ・ネグリ、マイケル・ハート『〈帝国〉グローバル化の世界秩序とマルチチュードの可能性』（以文社）2003年

※8（P43）

David Goodhart『The Road to Somewhere: The New Tribes Shaping British Politics』（Penguin）201

7年

未邦訳だが、以下の記事などで国内でも紹介されている。

「離脱後の英国二分する「不完全な羅針盤」」

https://jp.reuters.com/article/column-brexit-flawed-compass-idJPKBN17603Z

施光恒「ブレグジットに反対する「エニウェア族」の正体」

https://toyokeizai.net/articles/-/268547?page=2

※9 「カリフォルニアン・イデオロギー」(P45)

リチャード・バーブルック、アンディ・キャメロン、篠儀直子(翻訳)「カリフォルニアン・イデオロギー」(「10+1 No.13 特集=メディア都市の地政学」ＬＩＸＩＬ出版、１９９８年)

※10 (P50)

こうして考えたとき、日本国憲法が記述した戦後日本の精神(として理想化されたもの)とはこのアメリカ合衆国の精神(徹底的に私的であることが逆説的に公的なものを立ち上げる)から、リバタリアン的な「自立」の思想を排除したもの、だと考えることはできないだろうか。その結果として「徹底的に私的であることが逆説的に公的なものを立ち上げる(しかし、「自立」は認めない)」という精神はボトムアップの「空気」が支配する「世間」を社会にもたらした。「世間」の「空気」の支持さえあれば、公文書すら書き換え得る社会の源流は、この意味においてアメリカのデッドコピーとしての戦後日本という出発点にこそあったのだ。

※11 デジタル・レーニン主義(P51)

中国が冷戦終結後に拡大した改革開放路線は、政治的には共産党による一党独裁を維持しながら経済的には資本主義経済の発展を志向するものだった。今世紀においてこの「赤い資本主義」は情報産業の発展を中心に中国に高度成長をもたらし、21世紀の世界経済の中心に世界人口の約１／５が集中する中国が君臨することはもはや不可避だと思われる。同時に中国共産党政府は一貫して、インターネットのグローバル化に制限を加えＧＡＦＡなどのアメリカを中心とした欧米諸国のインターネットプラットフォームの中国への進出を阻んできた。対してTencent、阿里巴巴などの中国の代表的な情報産業は大きく政府の統制下にあり、共産党はこれらの企業の提供するプラットフォームが市民生活に浸透することによって、同時に強力な市民に対する監視能力をもつことになった。その基礎的な個人情報はもちろん、インターネットを介してプラットフォームのデータベースに蓄積される個人の信用情報までを政府の監視下におき、統制を試みる「デジタル・レーニン主義」は、かつてのＳＦ小説家たちが予見した情報技術によって政府に個人の自由が制限されるディストピアであるとして、内外の自由主義者たちから批判を浴びている。

※12（P58）
村上春樹「僕にとっての〈世界文学〉そして〈世界〉」（毎日新聞２００８年5月12日掲載）

※13（P64）
ここで問題となるのが憲法9条だ。戦後日本においては、憲法改正は主に戦争と戦力の放棄を謳った9条が実質ではなく象徴のレベルで文化的な争点になり続けている。9条はその起草と制定の経緯をめぐる歴史的な論争とその正当性が常に注目されてきたが、このこと自体が戦後日本においては憲法の問題が個人のアイデンティティをめぐる問題に矮小化されてきたことを証明している。誰が、どのように起草して制定したものか、それゆえにどのような正当性をもつかは副次的な問題に過ぎない。重要なのはまず日本国憲法、特に9条に謳われた戦争と戦力の放棄は冷戦下の国際政治状況下においてはアメリカの核の傘に保護された上で成立する一国平和主義の正当化として機能していたという現実だ。憲法9条の有無と戦後70年余の日本国内の平和の実現は完全に無関係で、実質的にそれを担保していたのはアメリカの核の傘によるパワーバランスだ。だがこの戦争放棄と戦力の否定という建前は、アメリカの核の傘の下の一国平和主義という本音をカモフラージュする機能を果たしたことは間違いない。保守派の改憲（による国家の成熟）論も、革新派の護憲（による国際平和の実現）論も、政策未満の絵空事であったことは21世紀の今日から振り返れば自明であり両者は無意識かつ実質的には一国平和主義の維持という唯一の現実解へ

の軟着陸以外に結論が存在しないことを前提とした共犯関係を結んでいたとすら言える。

そしてこれに加えて重要なのはこの一国平和主義が道義的にも国際政治のパワーバランス的にも成立し得ないことは明白であり、冷戦終結から30年のあいだ、この状況への対応として与野党を問わずあらゆる政権は解釈改憲によって、つまり民主主義の消極的な支持を背景に立憲主義を破壊することによって形式的な海外派兵を反復してきたことだ。この運用レベルでの場当たり的な「解釈」で最高法規である憲法を有名無実化し事実上の国軍を統制するという現状がどれほど危険なものかは、ある程度の規模の組織運営に携わった経験のある人間ならば自明のはずだ。

そして当然のことだが冷戦時代のパワーバランスの産物であるこの条文の見直しが必要であることも明白だ。繰り返すが憲法9条の存在と、冷戦下の日本という国家の舵が戦争と平和のどちらにふれるかはまったく無関係だった。それが関係していたように見えるとしたら、それはあなたが国家と自己同一化して、あるいは反国家的であることに陶酔することで自分を慰めることしかできないからだ。しかし憲法は、あなたの精神安定剤ではない。

当然この国の民主主義が十分に成熟すれば（現時点ではリスクが高く慎重にならざるを得ないが）憲法9条は改正して自衛隊は国軍として位置づける他ない。なぜならば実質的に既に自衛隊は国軍以外の何ものでもなく、建前論に縛られた法的な位置づけがその円滑な運用を妨げることは明白だからだ。もちろんこの9条改正は戦後レジームによって損なわれた日本という主体の回復といった、つまらない自己憐憫の物語に対する徹底的な軽蔑と、アメリカという必ずしもその子を愛するとは限らない義父への依存からの脱却を前提とする。

※14（P74）

取り上げるテーマは、市民からとは限らず政府からも提出できる。そしてvTaiwanでは職業としては政府の職員であっても市民の立場からルールメイキングに参加するケースもあれば、PO（Participatory Officer）という省庁横断のチームの一員、つまり政府の立場として参加することもある。政策決定者と市民との境界を曖昧にして協働のルールメイキングを可能にするというコンセプトがここにはある。

※15（P85）
https://eiga.com/news/20190723/6/
（以下引用）〈「アベンジャーズ エンドゲーム」の世界累計興行収入が２０１９年７月20日（現地時間）、「アバター」の27億８９７０万ドルを超え、27億９０２０万ドルに到達。ついに歴代興収１位の座についた。
「アベンジャーズ エンドゲーム」の北米興収は８億５３００万ドルと、「スター・ウォーズ フォースの覚醒」に次いで歴代２位。北米を除く世界興収は19億ドルを突破しており、国別では中国の６億２９００万ドルを筆頭にイギリス（１億１４００万ドル）、韓国（１億５００万ドル）、ブラジル（８５００万ドル）、メキシコ（７７００万ドル）で大ヒットを飛ばしている。配給のウォルト・ディズニーは悲願の「アバター」越えを実現するため、既に劇場公開が終了した地域では新たなフッテージを加えた特別版の上映を実施していた。〉

※16（P86）
https://eiga.com/news/20191026/5/
この報道の直後スコセッシ監督によるNetflixオリジナル映画『アイリッシュマン』が配信され、大きな支持を集めた。それはMCUに存在する映画興行のイベント化やテレビドラマ的なシリーズ展開、キャラクタービジネスなどとは完全に隔絶した「旧きよき劇映画」の見本のような大作だ。そしてこの『アイリッシュマン』の成功こそが、20世紀的な旧きよき「他人の物語」への感情移入装置としての劇映画が過去のものであることを証明している。リッチな映像を楽しむためのアニメーション／特撮でもなければ、リッチな音を楽しむためのミュージカル映画でもない、物語の器としての劇映画を楽しむならば、もはや「Netflixで十分」なのだ。

※17（P91）
ワンメディア株式会社代表取締役明石ガクトは『動画２・０』（幻冬舎、２０１８年）で、この「映像から動画へ」のテーゼを打ち出している。そして、ＳＮＳ等でこうも述べている。「あらゆる劇映画はテラスハウスに負けた」と。現代におけるリアリティ・ショーは結果的に、出演者が番組への露出によって視聴者の好感度を上げ、個

人のＳＮＳのフォロワーを増やしインフルエンサーとなるためのゲームとして機能している。そして視聴者のかなりの割合が既にこのゲームを含め番組を楽しんでいる。その典型例であり、先鋭化したかたちがNetflix『テラスハウス』だ。そして出演者たちは自分のＳＮＳのフォロワー数の増減や、寄せられたコメントを参考にテレビカメラの前での振る舞いを決定する。もはや、そこにあるのは映像の魔術によって演出されたリアリティではない。インターネット上にシェアされる動画がその一部に組み込まれた（拡張された）現実なのだ。

※18（P98）

ビル・キルデイ、大熊希美（翻訳）『NEVER LOST AGAIN　グーグルマップ誕生（世界を変えた地図）』（ＴＡＣ出版）２０１８年

たとえばジョン・ハンケは『Ingress』について、日本のインターネットメディアのインタビューにこう答えている。

（以下引用）〈また、今ゲームの業界は分岐点に差し掛かっていると思っています。１つはバーチャルリアリティーの世界を作り上げて、こもって外の世界と隔絶された状態でゲームを楽しむもの。もう1つはリアルな世界で、実際に顔を合わせてコミュニケーションしながらやるゲーム。我々はテクノロジーを使って、後者の方向に踏みだそうとしています。〉

〈私はどうすれば、人を幸せにできるか?ということを考えています。人生の楽しみの中で、大きなものを２つ出すとすれば、１つはエクササイズ、歩いたり、走ったり、バイクに乗ったりすると、気持ちよくなるような化学物質が身体の中から出るものです。２つ目は、他の人間とコミュニケーションを取ることで、人は幸せになるものです。

グーグルアースのストリートビューには生活に役立つことがいろいろとあり、１つは実際に出かける前に計画を立てて、冒険の準備ができます。もう1つはＧＰＳを使って、自分の行動を地図上の（原文ママ）記録して楽しめるということです。そして、人々がそういったデータをグーグルマップ上で情報レイヤーとして楽しんでいるのを

見ていて、外に出て、その情報を見たり、改善できたりするとできると（原文ママ）もっといいことが起きるのではないか?と考えたことが、イングレスを作るきっかけの1つとなっています。イングレスをプレイしていると、特に目的がなく歩いていても、外に出ればあたらしい情報に触れることができます。〉

〈（ナイアンティックラボのミッションとは?）歩いて冒険をすること。それは技術を使って、リアルな世界と人々をつなぐということです。テクノロジーを使って、遠くにあるものの情報を得るのではなく、自分の身の回りにあるものをどう感じ取れるか?どう変化させていけるのか?ということに注力しています。バーチャルなものを変えていくのではなく、実際に触れるリアリティのあるものをより面白くよりミステリアスに変えていくことがわれわれにとっては大事なんです。〉

イングレス@石巻レポート3：Ingress 開発者ジョン・ハンケ氏インタビュー

http://japanese.engadget.com/2014/06/24/3-ingress/

※19　（P101）

https://toyokeizai.net/articles/-/247650

（以下引用）〈ジョン・ハンケにとってナイアンティックが初めて設立した会社ではない。ナイアンティックは3社目だ。初めての起業は、カリフォルニア大学バークレー校ハース・スクール・オブ・ビジネスの在学中に立ち上げたインターネットゲームの会社だった。これは、その後事業売却している。2社目は、イントリンシックという別のスタートアップからスピンアウトする形で創業したキーホールだった。キーホールでは「地球の3Dモデルを世界に届ける」ことを目指し、ユーザーが衛星写真で自分の住む地域や家の様子が自由に見られるサービス「アースビューア」を制作した。

そして2004年、グーグルがこのキーホールを3000万ドルで買収する。グーグルに加入後、キーホールのメンバーが中心となって地図サービスを作り上げた。それがグーグルマップだった。ジョンはグーグルの地図関連サービスを統括するジオ部門のリーダーとして手腕を発揮し、グーグルマップを月間10億人以上の人が使う地図サービスへと成長させる。ナイアンティックを創業したのは2010年、グーグルで得た地図での知見を生かして、人々が外で楽しめるゲームを作るためだった。〉

※20（P135）

吉本隆明『転位のための十篇』「ちいさな群への挨拶」より（『吉本隆明初期詩集』講談社文芸文庫、1992年）

※21（P146）

山口昌男「幻想・構造・始原、吉本隆明『共同幻想論』をめぐって」（『日本読書新聞』1969年1月13日～3月17日号）

上野千鶴子「対幻想論」（『女という快楽』勁草書房、1986年）

うち上野はここで、吉本が共同幻想からの自立の根拠として提唱する（夫婦／親子的な）対幻想を「性愛」と「家族」のレベルに分解して考える。吉本の提示するモデルでは、対幻想は結婚制度により性愛から家族のレベルに移行した段階で家父長制的な共同性を発生させ、小さな共同幻想に変化する。対して性愛の次元で留まった対幻想は、その対象を互いに変化させるアイデンティティ・ゲームとして機能し自己を変化させ続ける。そしてこのアイデンティティ・ゲームとしての性愛は決して共同幻想に転化することはなく、これこそが「自立」の根拠となるというのがその主張の骨子だ。上野の主張は今日においては、ロマンティック・ラブ・イデオロギーへの過大評価を指摘せざるを得ず、そして吉本がそうであったように上野もまた、ポストモダン状況のもたらす解離的なアイデンティティの発生を過小評価しているようにも思える。ふたりの性愛（対幻想）を強化するためにこそ、イデオロギー（共同幻想）への依存を必要とした恋人たちは、当時から少なくなかったはずだ。しかし吉本の提示した「自立」のモデルが、「矮小な家父長制」ともいうべき戦後中流家庭の構造を思想的に下支えしている現状を照射したものとして、上野の議論は特筆に値する。

※22（P149）

丸山眞男は、大戦期の日本社会の分析を通じて、日本というう文化空間における市民の主体的意識の欠如を指摘している。

〈以下引用〉〈全国家秩序が絶対的価値体たる天皇を中心として連鎖的に構成され、上から下への支配の根拠が天皇からの距離に比例する。価値のいわば漸進的稀薄化にあるところでは、独裁観念は却って成長し難い。なぜなら本来の独裁観念は自由なる主体意識を前提としているのに、ここでは凡そそうした無規定的な個人というものは上から下まで存在しえないからである。一切の人間乃至社会集団は絶えず一方から規定されつつ他方を規定するという関係に立っている。戦時中に於ける軍部官僚の独裁とか、専横とかいう事が盛んに問題とされているが、ここで注意すべきは、事実もしくは社会的結果としてのそれと意識としてのそれとを混同してはならぬという事である。意識としての独裁は必ず責任の自覚と結びつく筈である。ところがこうした自覚は軍部にも官僚にも欠けていた。〉「超国家主義の論理と心理」（「世界1946年5月号」岩波書店）

ここで丸山は、社会的なコミットメントの責任を決して引き受けることのない、「無責任の体系」ともいうべきものが日本社会を支配していることを指摘している。

ではかような「無責任の体系」の中で、日本人はいかにして社会化し、政治的な意思決定を行うのか。丸山は、典型的な日本人像を「神輿」「役人」「浪人」に分類した上で同時にこう指摘する。

〈神輿は「権威」を、役人は「権力」を、浪人は「暴力」をそれぞれ代表する。国家秩序における地位と合法的権力から言えば「神輿」は最上に位し、「無法者」は最下位に位置する。しかしこの体系の行動の端緒は最下位の「無法者」から発して漸次上昇する。「神輿」はしばしば単なるロボットであり、「無為にして化する」。「神輿」を直接「擁」して実権をふるうのは文武の役人であり、彼らは「神輿」から下降する正統性を権力の基礎として無力な人民を支配するが、他方無法者に対してはどこかしっぽを捕まえられていて引き回される。しかし無法者もべつに本気で「権力への意志」を持っているのではない。彼らはただ下にいて無責任に暴れて世間を驚かせ快哉を叫べば満足するのである。だから彼の政治的熱情は容易く待合的享楽のなかに溶け込んでしまう。〉（同）

こうした「無責任の体系」下における合意形成においては責任の所在が明確にならない。正確には責任の所在を曖昧化することでスムーズな合意形成を行っている。その結果、日本社会は「神輿」的な存在を必要とする。実際は個々のコミュニティにおける暗黙の了解（文脈）によって合意形成がされているのだが、形式的にはそれは「神輿」の意思であるとされるのだ。「神輿」は実在の人間である場合が多いが、引用部のようにその存在は建前的なもので実権は伴っていない。そのため「神輿」は必ずしも実在である必要はなく、前近代においてこの「神輿」的な存在は宗教的な架空の人格であることも多かった。こうしたシステムを代表するものが戦前における近代天皇制だった。

こうして考えたとき、戦後日本人が児童文化としてのロボットキャラクターになぜあれほどの奇形的進化を求めたのか、その理由も明白になる。日本人の社会参加とは、常に自分より巨大な何か（実在していなくともよい）と同一化することで果たされるものなのだ（究極的にはそれは天皇である）。そうすることで日本人は主体的に振舞うことの責任を回避できる。戦後日本（70年代以降）に制作されたロボットアニメ群に常に少年が扱うには強すぎる力＝ロボット兵器の戦闘力に戸惑うエピソードが挿入されるのはそのためである。しかし、こうした「無責任の体系」と丸山が呼んだ社会参加のイメージが強く機能しているからこそ、日本社会は高い治安と効率的な合意形成ができていたと言えるだろう。

たとえばトヨタ自動車の生産方式の特徴を示す概念。「カイゼン（kaizen）」はすなわち「改善」で、主に製造業の作業現場で行われている作業の見直しを指す。経営陣からトップダウンで指示されるのではなく、作業効率の向上などを現場の作業者がボトムアップで継続的に問題解決をはかっていく点に特徴がある。これは「無責任の体系」とコインの裏表的に発生する均質的なメンタリティをもつコミュニティと、そこで効率的に行われる合意形成を利用した集合知の集約システムと言える。

あるいは初音ミクが代表する「ＶＯＣＡＬＯＩＤ（ボーカロイド）」を応用したデスクトップミュージック（ＤＴＭ）群の発展にも同様の効果が指摘できる。メロディと歌詞を入力することで、声優からサンプリングされた合成音声による女声ボーカルやコーラスを作成することができる本製品は、これに図像を付与してバーチャルアイドル「初音ミク」というキャラクターを構築した。さらに、動画共有サイト「ニコニコ動画」上でユーザーが初音ミクで制作した楽曲や公式のキャラクター図像をアレンジした視覚作品等を自由に発表・流通できる環境が成立した。ここで初音ミクという疑似人格＝キャラクターが人気を集めることで、現在では10万曲以上の楽曲・動画がネットサービス上に投稿されており、インディーズ音楽の一大市場を形成している。ここでは初音ミクなどのキャラクターを経由することで、日本人のコミットメントを誘発し、さらにニコニコ動画のような半匿名のコミュニティと結合することで、効率的な集合知によるクリエイティビティを発揮させることに成功したと言える。

日本社会を支配する「無責任の体系」は、近代国家として未成熟な政治文化をもたらし長く日本社会の発展を阻害し続けるその一方で、集団主義的クリエイティビティの発展には大きく寄与してきたと言える。そしてその根底に存在する日本人の、自分より大きく偉大な存在と同一化し、依代を得ることではじめて社会にコミットするという感性を、もっとも具象化したものが、前述のロボットアニメ群に登場する人型兵器や初音ミクを代表とするキャラクター文化だと言えるだろう。日本人は天皇から初音ミクまで常にキャラクター（的なもの）を介して社会にコミットメントをしてきた民族なのだ。

※23（P154）
「現代思想界をリードする吉本隆明のファッション」（「an・an　1984年9月21日号」マガジンハウス）

※24（P155）
埴谷雄高「政治と文学と・補足　吉本隆明への最後の手紙」（「海燕4巻4号」福武書店、1985年）

※25（P155）
吉本隆明「重層的な非決定へ　埴谷雄高の「苦言」への批判」（『重層的な非決定へ』大和書房、1985年）

※26（P175）
僕たちはソーシャルネットワーキングサービスの登場で自己幻想や対幻想を共同幻想に接続することで強化する

ことを覚えてしまった。ある愛煙家は美意識の発露としての愚行の権利を、合法的かつ私的に行使するだけでは耐えられずについ、Twitterに投稿しその気の利いた修辞が多数のユーザーにリツイートされることにニコチンの摂取以上の快楽を得てしまっている。彼が好きなのは本当にタバコなのだろうか。彼の自己幻想は共同幻想から「自立」していると言えるのだろうか。あるいはある父親は自分が家族との強い絆に支えられていることを毎週末にFacebookに投稿することをやめられなくなっている。そして自分の仕事が社会的に認められなくても、家族（的な閉じた関係性）に承認されていれば構わないとFacebookのウォールに長文を投稿し「いいね！」を集める彼は、果たして対幻想に依拠して自立していると言えるのだろうか。こうしている今も、多くの人々が特定の誰かと自分を「タグ付け」することで、その人物との1対1の関係、つまり対幻想をタイムライン、つまり共同幻想に開示することで強化する。あるいは共同幻想、つまりタイムラインに他人の投稿をリツイートすることで、自己幻想、つまりプロフィールを演出しようとする。それは僕たちがずっと抱えていながらも技術的に叶えられなかった欲望なのだ。

もちろん、ある日思い立ってソーシャルメディアのアカウントを消去することは可能だ。このとき現代社会に対する問題提起として自分はソーシャルメディアのアカウントを消去したと別のアカウントで誇る俗物の空疎なパフォーマンスは論外だが、それ以上に重要なのはたとえアカウントを消去しても、そこはネットワークの外部ではないことだ。単に特定のプラットフォームでのアクションが希薄であることによって、評価経済の中で高い／低いポイントを得ているに過ぎない。あらゆる発言が、記述が、商行為がネットワーク下の言動として記録される。僕たちはもはやネットワークの外部をもたないのだ。僕たちは情報技術によって三幻想が「逆立」し得ない世界を生きている。自己幻想と共同幻想のあいだのものも対幻想と共同幻想のあいだのものも、ソーシャルメディアの様々な機能により可視化されている。そして僕たちはこの変質した世界から距離を取ることはできても、外部に脱出することはできない。「外部」などとっくに成立しなくなっているからだ。

※27 28 29 （P177）

吉本隆明『ハイ・イメージ論Ⅰ』（福武書店）１９８９年

※30　「母性のディストピア」（P１７８）

宇野常寛『母性のディストピア』（集英社）２０１７年

※31　スロージャーナリズム（P１９８）

鷲見洋之「あえて紙媒体で勝負する、英国スロージャーナリズム誌の挑戦」
https://forbesjapan.com/articles/detail/27476
小林恭子「速報を流さない「スロー報道」が人気化のワケ」
https://toyokeizai.net/articles/-/177740
kazumitsuyoshida「キーワードは「スロージャーナリズム」?·オランダのメディアは世界の潮流を変えるか?·」
https://ams.neuromagic.com/2018/01/18/%e3%82%ad%e3%83%bc%e3%83%af%e3%83%bc%e3%83%89%e3%81%af%e3%80%8c%e3%82%b9%e3%83%ad%e3%83%bc%e3%82%b8%e3%83%a3%e3%83%bc%e3%83%8a%e3%83%aa%e3%82%ba%e3%83%a0%e3%80%8d%ef%bc%9f%e3%82%aa%e3%83%a9%e3%83%b3/

※32　（P２０６）

以前僕の友人の主宰するあるアートコレクティブが東京に大きな常設展示場を開設したときに、業界のある一派は一斉にそれを攻撃した。そのアートコレクティブは、国内よりも海外での評価が高く、そのために近い業界の人々の一部からありていに言えば「やっかまれて」いた。そしてそのとき僕は知り合いのあるライターが展示を見てもいないのにやんわりと（自分が表立って強い言葉で誰かを非難しているように見えないようにだけ気を使いながら）そのアートコレクティブに石を投げつけていたのをたまたま目にした。そしてひどく、がっかりした。ここで重要なのはこのときそのライターはタイムラインの潮目（ＹＥＳかＮＯか）だけを読んで、対象（展示）を一目も見ていないことだ。しかしこのとき対象にしっかりと向き合えばたとえば彼らの掲げた「ボーダレス」というコンセプトから現代のメガシティにおける公共はいかに再設定されるべきか、とか民主主義のもたらす「世界に素手で触れられる」感覚の中毒性はＳＮＳの時代にどう変化し得るのか、などその対象を「読む」ことであたらしい「問い」を設定することができるのだ。

※33（P207）

たとえば2008年公開の『ダークナイト』でヒース・レジャーが演じたジョーカーは「共感」の外側にある得体の知れない「悪」の存在として描かれた。同作で登場したジョーカーは、ことあるごとに自分が怪人に変貌したきっかけとなる心理的な外傷（トラウマ）について述べる。しかし、そのエピソードは登場のたびに異なっている。このジョーカーには動機（トラウマ）もなければ目的もない。悪の執行それ自体が快楽なのだ。政治的な要求や金銭といった目的をもたず、悪の実行それ自体を快楽として求める絶対悪＝ジョーカーを提示することで、同作は現代における「正義」のあり方を根源から問い直したのだ。あらゆる正義が相対的なイデオロギーの、立場のひとつに過ぎなくなった現代において、では「悪」とは何かというまったくあたらしい問いを立てたのだ。

対して2019年の『ジョーカー』でホアキン・フェニックスの演じるジョーカーは、（舞台こそ80年代初頭のアメリカだが、明らかに比喩的に現代の）欧米の中産階級の没落を背景にしたエスタブリッシュメントへの批判を背景にしている。つまり既に確認された欲望にコミットして「いいね」「共感」を集めている。ヒースのジョーカーは絶対悪だったのに対し、ホアキンのジョーカーは相対悪だ。ヒースのジョーカーが世界に存在しはじめているが、まだ姿を現さない不気味なものを創作物のかたちで可視化したもので、ホアキンのジョーカーは既に世界に存在しているものの確認だ。

もちろん、現代的なのは後者だ。プラットフォームに備わった共感の確認機能に促されるままに、人々は「いいね」でつながることに夢中になっている。しかし、その結果として共感できないものへの視線を忘れている。問題設定により世界を見る視線を増やすことも、価値転倒で世界の見え方を変えることも、この共感の外側にある。しかしジョーカー像が変貌したように、いまこの問いを立てる言葉が衰弱している。代わりに0か1か、ＹＥＳかＮＯかを判別する言葉が肥大している。

この問題はインターネットジャーナリズムをめぐる議論で頻出する「ファクトかオピニオンか」の問題にひきつけて考えると分かりやすい。

ＳＮＳはオピニオンであふれている。あれはよい、あれはよくないというオピニオン、つまり意見を述べることは人間の承認欲求を満たす。自分が世界に関与しているという実感をもたらす。誰かにそれは間違っているとダメ出しすると優越感を得られる。ＳＮＳはこの意見を述べることのコストを圧倒的に引き下げた。その結果、世界にはオピニオンがあふれかえった。それも「……ではない」という否定の言葉があふれた。「……である」ではなく。なぜならば前者のほうが後者よりも簡単だからだ。

この問題を代表する存在がフェイクニュースだ。誰もがオピニオンを述べたがる時代に、ファクトは軽視される。その結果オピニオンを述べるためのソースとして都合のよいファクトが捏造されるようになる。本来はファクトがあって、そこからオピニオンが導き出されるのだが、逆転が起きてしまう。しかもそれがインターネットの広告ビジネスによって利益を生み、止まらなくなっている。

この問題に対し「オピニオンよりもファクトを」という声が主にジャーナリズムから上がっている。半分は正しい、しかし半分は間違っている。もちろん、ファクトを重視してしっかりと報道し、フェイクニュースに対抗するのは重要だ。しかしそれだけではダメだ。

なぜそれだけではダメか。第一にフェイクニュースは欲望の問題だからだ。彼らは正しいか間違っているかをほんとうはあまり気にしていない。自分が述べたいオピニオンにとって都合のよいファクトを求めている。だからこの欲望にアクセスしない限り問題は解決しない。単に「そのファクトは間違っている」と言っても、彼らは気にしない。彼らは「信じたい」のだから。

そして第二にそもそも世界には絶対的な真実があり、それに気づくことで正しい解答が見つかる、という考え方は陰謀論に直結するからだ。オピニオンが独り歩きする時代に、ファクトを重視する姿勢を忘れてはならない。しかし世界は偶然性に満ちており、半分は無意識に駆動されているプレイヤーの振る舞いが複雑に絡み合うことで絶えず変化している。この当たり前の事実を、陰謀論は拒否してしまう。ファクトの正しい報道は大事だが、あるファクトが報道されれば正しいオピニオンも自動的に導き出されるという考え方は危険な思考停止だ。ひとつのファクトに対して複数のオピニオンがあり得ることを忘れてはいけない。

しかしSNSには「自分が知っているこのファクトが広まれば敵対する陣営の主張は論破できる」という前提のオピニオンが多すぎる。彼らは「情報（0か1か、YESかNOか）」を扱うことはできるが「物語（情報の相互作用による変化）」は扱えない。しかし世界は情報ではなく物語（正確には書き換えられない物語ではなく書き換えられるゲーム）でしか記述できない。

しかし安易な発信を身につけてしまって、その快楽を手放したくなくなっている人は「自分がGoogleで5分検索して見つけてきたこの真実を知っていれば、あの意見は間違っていてこの意見は正しいと分かるはず」と思考してしまう。

いま必要なのはむしろファクトではなくオピニオンだ。もちろんファクトに基づかないオピニオン（フェイクニュース）とは対決しないといけない。しかし、ファクトだけでよい、という考えは陰謀論に直結する。重要なのはファクトに基づいたオピニオンをしっかり論じることだ。

■参考文献

（序章）

［書籍］

宇野常寛 責任編集『PLANETS vol.9 東京2020 オルタナティブ・オリンピック・プロジェクト』（PLANETS）2015年
野地秩嘉『TOKYOオリンピック物語』（小学館）2011年
日経アーキテクチュア、日経コンストラクション、日経ビジネス 編集『東京大改造マップ2020 最新版』（日経BP）2015年
老川慶喜 編著『東京オリンピックの社会経済史』（日本経済評論社）2009年
小川勝『オリンピックと商業主義』（集英社）2012年
石坂友司、松林秀樹 編著『〈オリンピックの遺産〉の社会学 長野オリンピックとその後の十年』（青弓社）2013年

（第1章）

［書籍］

スーザン・ストレンジ、櫻井公人（翻訳）『国家の退場 グローバル経済の新しい主役たち』（岩波書店 2011年
ジャック・アタリ、林昌宏（翻訳）『21世紀の歴史――未来の人類から見た世界』（作品社）2008年

ダロン・アセモグル、ジェイムズ・A・ロビンソン、鬼澤忍（翻訳）『国家はなぜ衰退するのか 権力・繁栄・貧困の起源』（早川書房）2013年
リチャード・フロリダ、井口典夫（翻訳）『クリエイティブ・クラスの世紀 新時代の国、都市、人材の条件』（ダイヤモンド社）2007年
ハンス・ロスリング、オーラ・ロスリング、アンナ・ロスリング・ロンランド、上杉周作（翻訳）、関美和（翻訳）『FACTFULNESS（ファクトフルネス）10の思い込みを乗り越え、データを基に世界を正しく見る習慣』（日経BP）2019年
ジェレミー・リフキン、柴田裕之（翻訳）『限界費用ゼロ社会〈モノのインターネット〉と共有型経済の台頭』（NHK出版）2015年
ルトガー・ブレグマン、野中香方子（翻訳）『隷属なき道 AIとの競争に勝つベーシックインカムと一日三時間労働』（文藝春秋）2017年
鈴木健『なめらかな社会とその敵』（勁草書房）2013年
鈴木謙介『未来を生きるスキル』（KADOKAWA）2019年
木澤佐登志『ダークウェブ・アンダーグラウンド 社会秩序を逸脱するネット暗部の住人たち』（イースト・プレス）2019年
木澤佐登志『ニック・ランドと新反動主義 現代世界を覆う〈ダーク〉な思想』（講談社）2019年
落合陽一『デジタルネイチャー 生態系を為す汎神化した計算機による侘と寂』（PLANETS）2018年
塚越健司『ハクティビズムとは何か ハッカーと社会運動』（SBクリエイティブ）2012年

池田純一『ウェブ×ソーシャル×アメリカ〈全球時代〉の構想力』（講談社）2011年
吉田徹『ポピュリズムを考える 民主主義への再入門』（NHK出版）2011年
神保哲生、宮台真司、渡辺靖、佐藤伸行、西山隆行、木村草太、春名幹男、石川敬史『激トーク・オン・ディマンドvol.11 反グローバリゼーションとポピュリズム「トランプ化」する世界』（光文社）2017年
津田大介『Twitter社会論 新たなリアルタイム・ウェブの潮流』（洋泉社）2009年
津田大介『動員の革命 ソーシャルメディアは何を変えたのか』（中央公論新社）2012年
津田大介『ウェブで政治を動かす！』（朝日新聞出版）2012年
山尾志桜里『立憲的改憲――憲法をリベラルに考える7つの対論』（筑摩書房）2018年
孫泰蔵（監修）、小島健志『ブロックチェーン、AIで先を行くエストニアで見つけた つまらなくない未来』（ダイヤモンド社）2018年
玉木俊明『〈情報〉帝国の興亡 ソフトパワーの五〇〇年史』（講談社）2016年
田中純 編集協力『10+1 No.13 特集＝メディア都市の地政学』（LIXIL出版）1998年
濱野智史『アーキテクチャの生態系 情報環境はいかに設計されてきたか』（NTT出版）2008年
望月優大『ふたつの日本「移民国家」の建前と現実』（講談社）2019年
猪子寿之、宇野常寛『人類を前に進めたい チームラボと境界のない世界』（PLANETS）2019年

［ウェブサイト］
ヤフー政策企画「第5回司法の抱える課題と目指すべき役割とは。」（2018年5月14日）

https://publicpolicy.yahoo.co.jp/2018/05/1420.html
Pnika「台湾発の合意形成プロセスを学ぶワークショップ@霞ヶ関・鎌倉を開催（前編）」（2019年3月22日）
https://pnika.jp/articles/201903taiwan_event
Pnika「台湾発の合意形成プロセスを学ぶワークショップ@霞ヶ関・鎌倉を開催（後編その1）」（2019年4月4日）
https://pnika.jp/articles/201903taiwan_event_ws1

（第2章）
【書籍】
池田純一『ウェブ×ソーシャル×アメリカ〈全球時代〉の構想力』（講談社）2011年
池田純一『ウェブ文明論』（新潮社）2013年
ケヴィン・ケリー、服部桂（翻訳）『〈インターネット〉の次に来るもの 未来を決める12の法則』（NHK出版）2016年
フレッド・ボーゲルスタイン、依田卓巳（翻訳）『アップル vs.グーグル どちらが世界を支配するのか』（新潮社）2013年
ジーナ・キーティング、牧野洋（翻訳）『NETFLIX コンテンツ帝国の野望 GAFAを超える最強IT企業』（新潮社）2019年
國分功一郎『中動態の世界 意志と責任の考古学』（医学書院）2017年

中沢新一『ポケットの中の野生 ポケモンと子ども』（新潮社）２００４年
宇野常寛『リトル・ピープルの時代』（幻冬舎）２０１１年
ジョン・ハンケ『ジョン・ハンケ 世界をめぐる冒険 グーグルアースからイングレス、そしてポケモンGOへ』（講談社）２０１７年
ビル・キルデイ、大熊希美（翻訳）『NEVER LOST AGAIN グーグルマップ誕生（世界を変えた地図）』（TAC出版）２０１８年
大澤真幸『虚構の時代の果て――オウムと世界最終戦争』（筑摩書房）１９９６年
東浩紀『動物化するポストモダン オタクから見た日本社会』（講談社）２００１年
見田宗介『現代日本の感覚と思想』（講談社）１９９５年
明石ガクト『動画2.0 VISUAL STORYTELLING』（幻冬舎）２０１８年
南後由和『ひとり空間の都市論』（筑摩書房）２０１８年
三浦展、藤村龍至、南後由和『商業空間は何の夢を見たか １９６０～２０１０年代の都市と建築』（平凡社）２０１６年
落合陽一『魔法の世紀』（PLANETS）２０１５年
宇野常寛 責任編集『PLANETS vol.8 僕たちは〈夜の世界〉を生きている』（PLANETS）２０１２年
市田良彦、丹生谷貴志、上野俊哉、田崎英明、藤井雅実『戦争 思想・歴史・想像力』（新曜社）１９８９年
四方田犬彦『映画はもうすぐ百歳になる』（筑摩書房）１９８６年

［ウェブサイト］
MIT Technology Review「「ネットの意見が法を作る」デジタル民主主義で世界をリードする台湾の挑戦」（2019年3月22日）
https://www.technologyreview.jp/s/101344/the-simple-but-ingenious-system-taiwan-uses-to-crowdsource-its-laws/
東洋経済オンライン「ジョン・ハンケ、「ヒット連発リーダー」の秘密「グーグルマップ」誕生の軌跡とは？」（2018年11月14日）
https://toyokeizai.net/articles/-/247650

（第3章）
［書籍］
吉本隆明『共同幻想論』（河出書房新社）1968年
吉本隆明『ハイ・イメージ論Ⅰ』（福武書店）1989年
吉本隆明『ハイ・イメージ論Ⅱ』（福武書店）1990年
吉本隆明『ハイ・イメージ論Ⅲ』（福武書店）1994年
吉本隆明『重層的な非決定へ』（大和書房）1985年
中央公論編集部 編集『吉本隆明の世界』（中央公論新社）2012年
藤生京子『吉本隆明のＤＮＡ』（朝日新聞出版）2009年
丸山眞男『日本の思想』（岩波書店）1961年

上野千鶴子『女という快楽』（勁草書房）１９８６年
加藤典洋『敗戦後論』（講談社）１９９７年
とよだもとゆき『吉本隆明と「二つの敗戦」近代の敗北と超克』（脈発行所）２０１３年
仲正昌樹『〈戦後思想〉入門講義 丸山眞男と吉本隆明』（作品社）２０１７年
呉智英『吉本隆明という「共同幻想」』（筑摩書房）２０１２年
宇野邦一『吉本隆明 煉獄の作法』（みすず書房）２０１３年
宇田亮一『吉本隆明『共同幻想論』の読み方』（菊谷文庫）２０１３年
宇田亮一『吉本隆明『心的現象論』の読み方』（文芸社）２０１１年
橋爪大三郎『永遠の吉本隆明』（洋泉社）２００３年
鹿島茂『吉本隆明１９６８』（平凡社）２００９年
村瀬学『次の時代のための吉本隆明の読み方』（洋泉社）２００３年
宇野常寛『母性のディストピア』（集英社）２０１７年
糸井重里『インターネット的』（ＰＨＰ研究所）２００１年
糸井重里『ほぼ日刊イトイ新聞の本』（講談社）２００１年
糸井重里（語り手）、川島蓉子（聞き手）『すいません、ほぼ日の経営。』（日経ＢＰ）２０１８年
小林弘人、柳瀬博一『インターネットが普及したら、ぼくたちが原始人に戻っちゃったわけ』（晶文社）２０１５年
北田暁大『嗤う日本のナショナリズム』（日本放送出版協会）２００５年

（第4章）

［書籍］
宇野常寛 責任編集『PLANETS vol.10』（PLANETS）２０１８年
家入一真『なめらかなお金がめぐる社会。あるいは、なぜあなたは小さな経済圏で生きるべきなのか、ということ。』（ディスカヴァー・トゥエンティワン）２０１７年

［ウェブサイト］
Forbes JAPAN「あえて紙媒体で勝負する、英国スロージャーナリズム誌の挑戦」（２０１９年６月２日）
https://forbesjapan.com/articles/detail/27476
東洋経済オンライン「速報を流さない「スロー報道」が人気化のワケ」（２０１７年６月26日）
https://toyokeizai.net/articles/-/177740
neuromagic「キーワードは「スロージャーナリズム」？オランダのメディアは世界の潮流を変えるか？」（２０１８年1月18日）
https://ams.neuromagic.com/2018/01/18/%e3%82%ad%e3%83%bc%e3%83%af%e3%83%bc%e3%83%89%e3%81%af%e3%80%8c%e3%82%b9%e3%83%ad%e3%83%bc%e3%82%b8%e3%83%a3%e3%83%bc%e3%83%8a%e3%83%aa%e3%82%ba%e3%83%a0%e3%80%8d%ef%bc%9f%e3%82%aa%e3%83%a9%e3%83%b3/

解説

成田悠輔

内輪話からはじめたい。『遅いインターネット』の著者・宇野常寛さんとの関係だ。正直それほどよく知らない。たぶんオンラインのイベントで二回ご一緒したくらいで、食事や旅行に行ったりしたことはない。この本の編集者の箕輪厚介さんとも同じくらいの距離感だ。数回会ったことがあるくらい（で、それ以上親しくなるとまずいことが起きそうな予感がする）。なんとも中途半端な関係である。せいぜい「知り合い」くらいにしかなれない。

だが、「知り合い」くらいの距離感が遅いインターネットの肝になる。私はそう思う。あっという間に人を大きく巻き込みすぎる今の速いインターネットでは、無邪気な共感やいたずら心の迷惑行為、謎の正義感に駆り立てられた怒りやグツグツした妬みが膨張したと思ったら破裂して逆回転を起こし、人と人との距離感がすぐにバグってしまう。そこではいかに感情を薄められるかが大切だ。愛憎入り混じった何かがついつい煮詰まって焦げついてしまう深い友だちや推し活ファンでもなければ、縁遠すぎて生身の体温が感じられず、どんな信仰や暴言をなすりつけてもいいと感じてしまう赤の他人でもない。中途半端な「知り合い」の出番である。

かつてあったに違いないご近所さんか銭湯の顔なじみくらいの距離感で、メリットもデメリットも大きくないがゼロでもなく、よくわからないままダラダラと流れに任せて曖昧に浅く付き合う。ただ、まずい行動や言動をすればそれなりにグサグサくる反応を差し向けてくれる。浅くて薄い「知り合い」関係を拡大することこそ、遅いインターネットの隠れた使命である。みんなで放てば怖くない罵詈雑言でもなく、かといって思考停止の♥の一方的表明でもない、「知り合い」同士のぎこちない丁寧語での議論や自省がかつてなく求められている。

こんな個人的な話からはじめたのには理由がある。日本と世界を論じてはじまるこの本も、煎じ詰めると私たち一人一人の生活に辿りつくからだ。個人的なことこそ社会的である。考えてみれば当たり前のことだ。社会は詰まるところ生活する個人の集合体なのだから。だが、その当たり前の事実を当たり前に受け止めて社会に投げ返そうとする本は稀である。大きく社会を論じる本のほとんどは、得てして大きな社会のレイヤーで雲を掴むような話に終始してしまう。社会層の雲で自分のみすぼらしい日常を覆い隠してしまう。他人の不幸に胸が高鳴ってしまい、池に落ちた同業者に唾を吐きかけることを社会正義と取り違えてしまい、周りをキョロキョロしながら隣の席の偉い人にはつい相槌を打ってしまい、後悔しても帰り道の酒で忘れるような醜い自分をつい忘却してしまう。その惰性に抗って、社会的＝個人的であること。社会への提言を自らへの批判としてそのまま実行すること。その姿勢が『遅いインターネット』に特別な手触りを与えている。

出発点は単純明快だ。日本、殊に「平成という失敗したプロジェクト」の敗北から立ち上がりたいという衝動である。政治的にも経済的にも改革と飛躍に失敗した平成日本、その終着点を締めくくるのは東京オリンピック・パラリンピックだった。東京オリパラにおける社

会・都市・生活ビジョンの欠落を察知した著者らは、オルタナティブな東京オリパラビジョンとその具体化を草の根で構想する。彼らの代替オリパラ構想は、しかし、現実には何の力も持てず、実際のオリパラは昭和のリピート再生とでも言うべき醜悪な道筋を辿った。

東京オリパラはより深く巣食った病の症候の一つに過ぎない。表面上はスポーツ行事であるオリパラが、その本質では政治とメディアの融解物であることを思い出そう。オリパラの根底にある病が今の「速い」インターネットだ。「空飛ぶクルマが欲しかったのに、手に入ったのは140文字だった」。SNS革命以降のウェブ産業の不毛さを皮肉ったピーター・ティールのつぶやきである。そして140文字は無益なだけでなく有害にもなりえる。政治を見ればいい。SNSが加速し増幅する煽動や誹謗中傷、フェイクニュース、陰謀論が選挙を侵食し、北南米や欧州でギャグのような暴言を連発するポピュリスト政治家が増殖。芸人と政治家の境界があいまいになってしまった。今では速いSNSインターネットは情報・コミュニケーションでできたジャンクフードやドラッグであるかのようだ。中毒患者たちの声と票を口に流し込まれた民主主義は、ジャンクフード漬けのブロイラーとでも言えるかもしれない。私の著書『22世紀の民主主義：選挙はアルゴリズムになり、政治家はネコになる』でも様々なデータを通じて紹介した通りだ。

速いSNSインターネットに蝕まれた「民主主義を半分諦めることで、守る」ことを目指す第1章は、いくつかの提案に辿り着く。

1．民主主義と立憲主義のバランスを後者に傾ける。ネットの世論風見鶏より原理原則のルールを重視すると言ってもいいかもしれない。
2．選挙でもデモでもない新しい回路を情報技術で構築する。
3．メディア状況への介入。

しかし、どんな回路、どんな介入だろうか？　答えを出すには、メディアと介入・回路の分類学が必要になる（図）。

図の四つの象限のどこを撃つかによって、メディアを通じた社会変革の営みを分類できる。

第一象限を撃つ権威主義
↓第二象限を撃つマスメディアポピュリズム

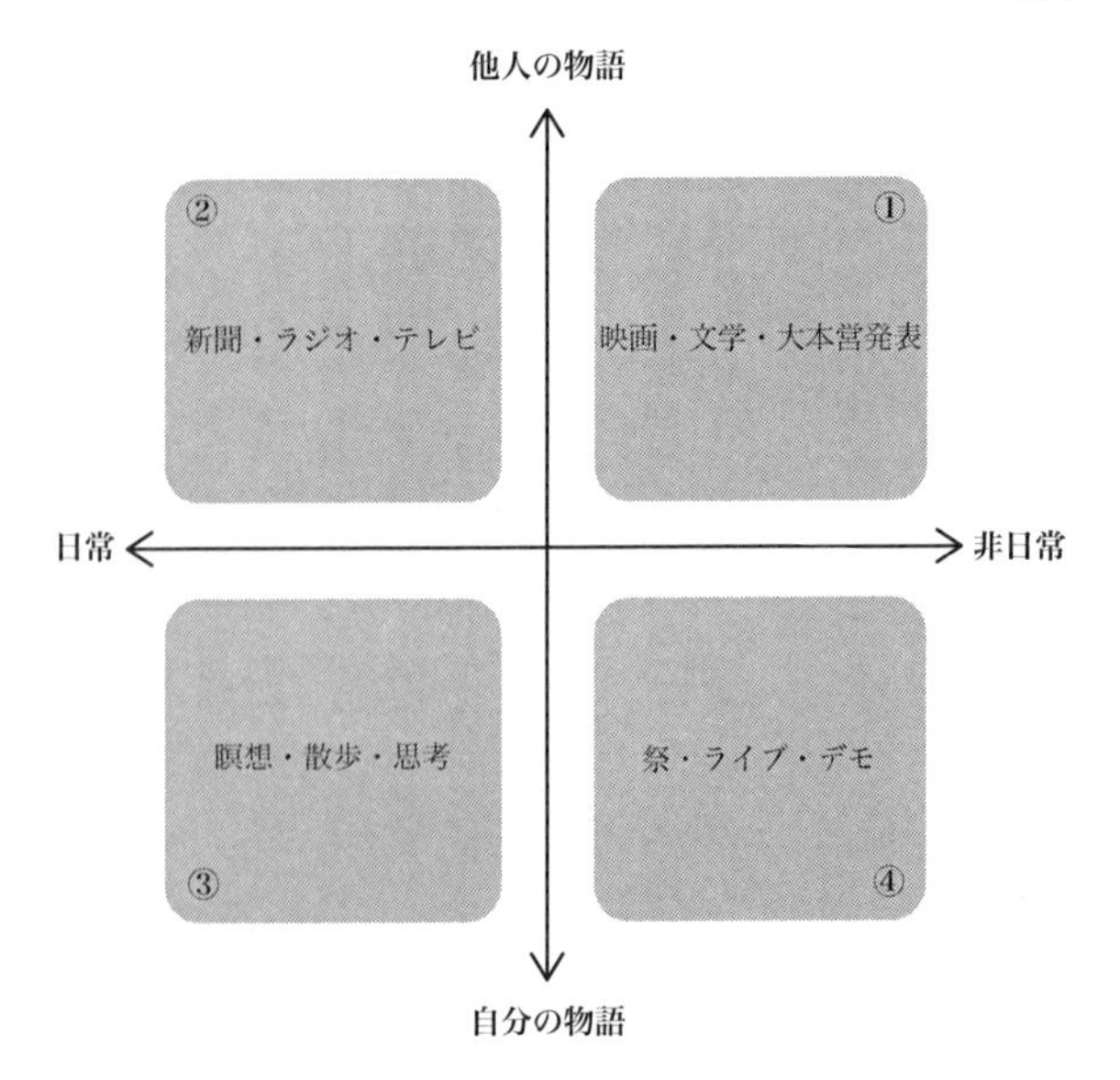

↓第四象限を撃つネットポピュリズム

といった歴史展開だ。そして、この三つのすべてが順に失敗していったのが今世紀の日本、そして世界だったと言えるかもしれない。唯一の政治的権威としての自民党は、失われた30年を経て「他に選択肢がないから」という消去法的選択でしかなくなってしまった。中国やロシアなどの権威主義的政権・指導者が招く混乱も世界中で目に付く。そして、かつては権威に対抗し、代替権威を生成する力を持っていたはずのテレビや新聞などマスメディアは端的に数字を失い、ポピュリズムと呼ぶに値する動員力は蒸発してしまった。

他方、マスメディアを侵食することで新たな動員メディアとして期待されたネットも、偉い人や組織の承認なく動き出せる機動性と裏表の飽きっぽさ、誰でもお祭り騒ぎに乗っかれる開放性ゆえの毒性（リンチ性）が露わになった。アラブの春からSEALDsデモまでの大きな動員の顛末、そして日々繰り返されるネット炎上リンチ↓忘却↓次の炎上という小さな動員の連鎖を見るにつけ、ネットポピュリズムによる動員が良き社会変革を作り出せると素朴に考える者はもはやいない。第一象限（権威主義）、第二象限（マスメディアポピュリズム）、第四象限（ネットポピュリズム）への希望は途絶えかけている。

残された道は、第三象限の日常の自分の物語だろう。日常の自分の物語、つまりは生活に立脚する回路と介入である。かつて吉本隆明『共同幻想論』が整理した自己幻想（≒今日のSNSインターネットにおけるプロフィール）、対幻想（≒DM・チャット）、共同幻想（≒タイムライン）といった様々な幻想からちょっとでも自立した生活を下支えする回路と介入が欲しい。

ただ、スプーン一杯の幸福でごきげんな生活だけではダメだ。たとえば糸井重里によるマスメディア広告コピー↓ほぼ日刊イトイ新聞↓「いい時間」を提供する総合コンテンツ「株式会社ほぼ日」への展開。コト・政治からの自立のためにモノ・生活に撤退し、政治性や社会性を意図的に排除する戦略は、たしかに他人や世間に逆上せずリンチに加担しまいとする解毒作用を持った。だが、いっけん誰にでも開かれているかのように見える「いい時間」は、その実、たまたま「いい時間」を享受する経済的余裕を得た一部の勝者とのみ取引関係を築くことで、歪んだ政治性・社会性を発揮してしまう。自立を必要としない余裕（anywhere）な人々にしか自立を提供できないというジレンマである。必要なのは、政治性や社会性にもう一度明示的に再参入する日常の自分の物語である。

そのために『遅いインターネット』が構想し、単行本出版から文庫化までのこの数年間に構築された生活場所が、著者が編集長をつとめるウェブマガジン・コミュニティ「遅いインターネット」である。その内容を雰囲気や言葉遣いまで含めて体感するには、「遅いインターネット」のウェブサイトやイベントを訪ねていじってみるのがいい。そこにあるのは、書く⇅読むや聞く⇅話すのゆっくりとした往復運動を生活に取り戻すことだ。ただYes/Noを

表明して怒ったり賛否を問うたり、安易に素早く結論を出して断言したり、どこかで聞いたようなミームを繋いで何か考えた・言った気になることへの反省が基調低音になる。「声を上げる」ことがやたらと簡単になってしまった今の社会では、いかに声を上げない時間に耐えるかが大切になる。発信や主張を禁欲して情報を集めたり考えたりする、物事の簡単に裁断・糾弾できない複雑性に直面することが鍵になってくる。そのためにまずはゆっくりと読み、じっくりと聞くことが必要だ。ドラマでも政治でもJ－POPでも、できるだけ同じような体温で。そのための訓練の場が「遅いインターネット」である。大事なのは、そんな場を紙の出版物や物理的な場所に閉じ込めないこと、インターネット上にインターネットの良さを愚直に使って作ることだ。そこにあるのは加速でもなければ懐古でもない、適温への指向である。

などなどといった実践のための書が『遅いインターネット』である。もちろん不満や批判もある。一つの疑問は、はっきりした規範・価値基準の不在だ。社会構想の不在と言ってもいい。遅いインターネット論では、現在の社会とインターネットが抱える問題とそれに対処

する個別具体的で処方箋的な営みが描写される。ただ、その先にいったいどんな社会を希求すべきなのか、その社会を突き動かす目的・価値は何なのかが直接に語られることはほとんどない。意地悪な見方をすると「情報や同調の波に流されず、かといって昭和を懐かしむのでもなく、しっかり学んで考えよう」と言っているだけではないかと疑うこともできる。

疑問を明確にするために、隠喩としての医薬品や食品が役に立つかもしれない。万能薬を謳う薬が出回ったと思ったら実はただの毒だったなどのイタタな体験を経て、人類はどんな医薬品や食品なら市場に出回らせていいかを慎重に規制する制度群を作り出してきた。治験や栄養成分表示、特定の医薬品や飲食物に対する課税や補助金、そして遅い食べ物（スローフード）運動などだ。世論（民主主義）から自律したルール（立憲主義）、市場とメディアの濁流から守るべき情報を守る回路を打ち立てた例と言っていい。こういった営みの情報・コミュニケーション版が遅いインターネットの重要部だと乱暴に捉えることもできる。

だが違いもある。医薬品については、健康寿命や特定の疾患の予防・治癒が目的であることが共通了解になっている。では、情報やコミュニケーションの目的は何なのだろうか？この問いは、古代から人類が取り組んできた問いであって、明快な答えを出すことに数千年間失敗してきた問いでもある。そして、その答えは『遅いインターネット』にも不在である。むしろその問いを避けているようにさえ感じられる。

おそらく、この沈黙は意図的だろう。遅いインターネットはどんな社会と人間を夢見るのか？　答えをあぶり出すのは著者ひとりの閉じた思考ではない。むしろ遅いインターネットに向けた多くの人々の大小様々な共同実践こそがあぶり出すのだ、と。

とすれば、この本の真価は現段階では問えない。むしろ真価は未来の実践に委ねられている。だからこの本の本当の解説は、22世紀くらいまで待ってほしい。来るべき遅いインターネット時代には、そんな速度でちょうどいいはずだ。

――イェール大学助教授。半熟仮想株式会社代表取締役

文庫版書き下ろし

新　章

分断する社会とより「速い」インターネットの時代への対抗戦略

1．コロナ・ショックと「速い」インターネット

本書『遅いインターネット』の最初の単行本の出版から、この文庫版の出版まで3年と少しの時間が経っている。文庫版のための書き下ろしになるこのボーナストラックでは、この3年のあいだに僕たちが直面したことの分析から、本書で展開した議論をアップデートしたい。では、（ものすごく大きな主語になって申し訳ないが）人類社会にとってこの3年とはいったいなんだったのか。それは、端的に述べれば人間が未知のウイルスに翻弄された3年間だとまとめることができるだろう。

最初の出版は、2020年2月——そう、それはその後世界を覆い尽くした、そしていまも（地域差はあるものの）続いているコロナ・ショックのはじまるタイミングだった。

コロナ・ショックが人類にもたらしたものは何か——感染症による大量死、「新しい生活様式」への移行、ロックダウンから飲食店への営業自粛要請にまで及ぶ国家による例外的な行動規制——どれも計り知れない影響をこれからの世界に与えていくはずだが、とりわけここで注目したいのは、このパンデミックが実質的にインフォデミックによって下支えされて

いたことだ。

インフォデミックとはなにか。これは新型コロナウイルス感染についての誤情報――デマ、フェイクニュース、陰謀論など――の拡散を指し、インフォメーション（Information）とエピデミック（Epidemic）を組み合わせたＷＨＯによる造語だ。

２０２０年に世界を新型コロナウイルスの脅威が襲ったとき、人類にとってそれは未知のものに他ならなかった。そして、人類はそれが未知のものであることに耐えることができなかった。人類は検索しても答えが出てこない事物に対する耐性を、Googleに飼いならされた結果失ってしまっていたのだ。

その結果として、多くの人々がそれが未知のもの「ではない」と説く言説に――デマに、フェイクニュースに、陰謀論に――触れることで心の平安を得ようとした。新型コロナウイルスはただのカゼである、市販のうがい薬で１００％予防できる、中国の生物兵器の流出したものである――それらの大半はおおよそ科学的な根拠も示されなければ、複数の機関による検証もない、つまり今日においては信頼性のあるものとは到底見做されないレベルのものであることはもちろん、冷静な状態で触れればその荒唐無稽さから妄想のたぐいであることはすぐに分かるレベルのものだった。しかし信じられないほど多くの人々が、これらの質の低い情報を信じることを選択した。人々は、未知のウイルスのもたらす不安から逃れるためにそれらにすがりついていったのだ。人々は、信じたかったのだ。それが未知の存在であり、これから時間をかけて手探りで対応方法を探るべきものであることから、目を背けたかったのだ。そして、その結果としてそれが未知のものではなく既知のもの、答えが既に存在しているものであると説く言葉を受け入れてしまった。

そしてここに現れた人間の弱さはウェブサイトの閲覧数を換金する業者から、再選を焦る失政続きの大統領にまで経済的、政治的に利用されつくしていった。アテンション・エコノミーが常態化した今日のインターネットにおいては、つまりSNSのプラットフォームを中心とした今日のインターネットにおいてはこの種の質の低い、というよりもほとんど害悪と言って差し支えない情報が経済的、政治的な動員を目的に大規模に利用されることはそう珍しいことではない。本書1章で解説した、2016年のアメリカ大統領選挙はその典型例だ。そして若干の規制は行われたものの、トランプが再選を目論んだ2020年の大統領選挙において敗色濃厚な彼はコロナ・ショックについての誤情報——それは単なるカゼの一種に過ぎない——と、Qアノンと呼ばれる陰謀論を最大限に活用し逆襲を試みた。結局、トランプは敗れたがその選挙結果を不正であると考える彼に先導された支持者はついには国会を襲撃するまで先鋭化し、アメリカ社会の分断の危機はこの2023年においても去っていない。

さらに人類社会にとって大きな脅威となったのが、新型コロナウイルスのワクチンに関する陰謀論だ。ワクチンとは、人体に注入するものであるというその性質から、かねてより自然志向やナチュラリズムの中でも非科学的なアプローチを受け入れる一部のイデオロギーを志向する人々のあいだで陰謀論の対象に選ばれやすいものだった。そしてコロナ・ショックという世界的な災厄によって、新型コロナウイルスワクチンは、過去最大規模の陰謀論を生み出すことになった。つい10年前には存在しなかったSNSプラットフォームという「感染」経路が存在したことが、問題に拍車をかけた。この新しい感染経路による陰謀論の拡散が猛威を奮った背景には、SNSのプラットフォームにおいてはそれが「見られる」ことが換金と集票に直接結びつくシステムが存在した。このパンデミックの長期化の背景には、確実にインフォデミックの脅威が存在していたのだ。

2. なぜ人はウイルスを直視できなかったのか

しかしウイルスの存在を直視できなかったのは、デマやフェイクニュースや陰謀論を信じ、拡散したインフォデミックの当事者たちだけではなかった。

たとえば2020年には知り合いのある社会起業家から、僕の参加している私的な研究会とその運営団体が、「コロナ禍をチャンスに変える！」といった類のキャッチ・フレーズのついたオンラインイベントへ協力を要請されたことがあった。

その人物は1時間ほどかけてZOOMで僕たちにそのオンラインイベントの趣旨を説明した。内容としては、いわゆる「DX」の推進を行政と産業の双方で進行するべきであるといういたってありふれたもので、特にここで紹介すべき具体的な内容はない。そして、この1時間の説明の間に表示されたスライドは、この人物たちがそれ以前から用いていたものの冒頭にこのコロナ・ショックこそ以下のDXを推進する好機であるということを扇情的に述べるページを付け足しただけのものだった。要するにこの人物はキャッチ・フレーズの通り社会不安に乗じて、かねてより自分たちの主張している政策を実現することだけを考えており、特にコロナ・ショックそのものには関心がないのだということだけが伝わってきた。

そしてそこには当時世界中で進行していた個人の自由を保護するための十分な法整備もなく、なし崩し的に国家が個人の行動を監視し、統制する情報技術の巨大なリスクについてはただの一言も記されていなかった。

当然のことだが、その人物の訴える政策には同意できるものと、そうではないものとがあった。しかしとりあえず僕は仲間たちに、このような言葉の最悪な意味で政治的な運動に僕たちが加担すべきではないこと、そして火事場泥棒的にコロナ・ショックを利用する運動とも距離を置くべきだということを述べて、その意見は受け入れられた。そして僕は内心、近近与党からの国政選挙への出馬が噂されるその人物には絶対に投票しないことを決めた。この3年の間にこの種の火事場泥棒的に政治的、経済的な成功を目的に社会不安に乗じ、感染対策を利用することはあってもそれを適切に実行するつもりもなければ、他の社会的要請との深刻な調整の必要と対峙する覚悟もないプレイヤーが続出していたことは記憶に新しいはずだ。

またその逆に「新しい生活様式」が浸透し始めたころ、「飲み会」こそがチームワークの源であり、そこでの雑談こそメンバーの創造性を養うと主張している大企業の管理職や中小企業の社長（オーナー）を眼にした人も少なくなかったはずだ。

チームワークを養う方法は他にいくらでも存在する。そして創造性を担保するための雑談の相手がチーム内に限定される必要などあるはずもない。彼／彼女らにとって、チームワークや創造性はただの建前であることは明白だ。彼／彼女たちは「飲み会」という自分が絶対に否定されない権力関係が維持された場所を心から渇望しているのだ。そもそも父親だけが楽しい家族の観光旅行と、その場のボスだけが楽しい職場の飲み会ほど、この世で醜いものはない。しかし思考のOSが90年代後半辺りで止まっているタイプの人々には、それがなかなか理解できないのだ。

あるいは「新しい生活様式」を批判する言説の中に多く見られたのは以下のようなパターンだ。曰く「新しい生活様式」は、格差を拡大する。比喩的に述べれば自宅でリモートワークに切り替えたクリエイティブ・クラスと、彼らが利用するフードデリバリーサービスの配達員であるエッセンシャルワーカーとの間の格差が拡大する、と。したがって人類は感染リスクをエッセンシャルワーカーに押し付ける「新しい生活様式」よりも、平等に感染リスクを受け止める「古い生活様式」にとどまるべきだ、と。しかし、この言説は少し考えれば論理の矛盾が露呈する安直なものだ。

それは単純な話だ。「古い生活様式」に戻したときに高い感染リスクにさらされるのは結局のところ食堂の配膳係や劇場のモギリたち、つまりエッセンシャルワーカーであることには変わりない。そして感染爆発が進めば進むほど、彼らの犠牲は増えていく。要するに、彼らの主張が正当性を帯びるのは、トランプらの主張するように新型コロナウイルスそのものが「ただのカゼ」であった場合だけなのだ。

僕の、というか一般的な解答はシンプルだ。「新しい生活様式」のもたらす新しい格差には、新しい再分配とケアで対応するしかない。それ以外に解はなく、それは少し考えれば誰でも分かることだ。

ではなぜ、彼らはこの少し考えれば誰でもその矛盾に気づくような主張を繰り返したのか。理由は簡単だ。彼らにとって「新しい生活様式」を批判することは、手段ではなく、目的だったからだ。

「新しい生活様式」はそれ以前から進行していた社会の情報化をより加速した。そのため、そもそも社会の情報化を嫌悪していた高齢者層や製造業などオールドエコノミーの従事者に「新しい生活様式」は嫌悪されがちな傾向がある。あるいは、僕が仕事でかかわることの多い新聞や出版、放送などのオールドメディアの従事者や、人文社会科学系の研究者の中にも、同様に「新しい生活様式」を嫌悪するあまりに、論理的に破綻している主張を平然と繰り返す人が少なくない。この種の人たちは社会の情報化が、自分たちの所属している業界を時代の最先端から引きずり下ろしていることや、自分たちの積み上げた知見が通用しづらい分野が大きく社会を動かしていることに嫉妬しがちなことは否めない。

このパンデミックは一方で、20年前のシリコンバレーで台頭した楽観的で、無責任な技術主義を復活させ、イノベーションの自己目的化を加速した。正確には、既に破綻したはずのこのイデオロギーを、コロナ・ショックのもたらした緊急事態が不必要に蘇生させてしまったように思える。

そしてもう一方ではこのパンデミックは情報化そのものに対する嫌悪を、20世紀に魂を置いてきた人々の怨念を、強く呼び起こしてしまっているのだ。

3. パンデミックとデジタル・レーニン主義

パンデミックは、二者択一を迫る。そのことで「ばらばらのものを、ひとつにまとめる」ことを要求する。安全か、それとも自由か。国家の監視と統制を受け入れるか、それを拒否してリスクを受け入れるか。大衆は前者を選ぶだろう。多くの社会は、民主主義という制度に支持されて監視と統制を受け入れるだろう。この国でも、パンデミックに対する社会不安を背景に超法規的な国家による行動規制を求める声が多かった。そしてこの選択を、ウイルスへの感染リスクも社会的混乱のもたらす経済的損失のリスクも相対的に低い文化人や大学人、マスメディアなどが批判することに、残念ながら多くの人々は説得力を感じないだろう。

彼らが生命の危機のリスクを受け入れて、自由を守れと述べたとき、そのリスクを引き受けるのは彼らではなく、階層的に分断された人々であることは自明だからだ。

非常時においてある程度の監視と統制は不可避だ。しかしその一方で多くの人々が、監視国家的なアプローチに対するこのなし崩し的な肯定のリスクを、低く見積もり過ぎていることも間違いない。いま必要なのは、情報技術そのものを敵視することなくその適切な運用を試みる批判的な態度に他ならない。

このパンデミック下で進行しているのは、（あえて大げさな表現を用いれば）世界的なデジタル・レーニン主義への接近だ。そして西側諸国の極めてソフトなデジタル・レーニン主義への接近傾向は、パンデミックの以前からはじまっていたものだ。GAFAをはじめとするインターネット・プラットフォーマーの台頭が代表するグローバルな市場とローカルな国家との対立は、当面重商主義的な歩み寄り以外の解を持たない。それは言い換えれば程度の問題があるだけで、それがソフトなデジタル・レーニン主義への軟着陸であることは自明だ。僕が「遅いインターネット」という言葉を掲げて、グローバルなインターネット・プラットフォーマーへの批判と、草の根的な離脱運動を提唱した背景の一つがここにある。

では、どうするのか。僕の回答は監視が不可避であるならば、その監視が自由を侵害しないための知恵を絞るしかない、というものだ。具体的には防疫のために取得された個人の情報のそれ以外の目的への本人の同意のない参照の禁止、「忘れられる権利」の保護、自分のデータにいつ、誰がアクセスしたのかが記録され、追跡可能にすること、そしてこれらを可能にする情報環境と法の整備が暫定解だ。ここにはインターネット初期の電子公共圏のための試論から、電子政府の導入に際する実務的なものまで、膨大な議論の蓄積がある。そもそも、国民総背番号なくして行政の電子化と効率化はあり得ないし、治療医学から予防医学へのシフトは生権力そのものである身体のリアルタイム管理（監視）を前提とする。すべてはコロナ禍以前からはじまっていた問題の表面化に過ぎないのだ。

そして、誤解してはいけないが、ここで述べられているのは技術的な解決ではなく、既に存在している技術をどのような倫理に基づいて応用するかを問うアプローチで、つまり極めて人間的な、政治的な領域での解決が必要なものだ。

しかし、この政治の言葉こそを麻痺させてしまうのが、今日の「速い」インターネット、つまりＳＮＳのプラットフォームのもたらす相互評価のゲームなのだ。

4．プラットフォームの時代と、その罠

コロナ・ショックは人類をより「速い」インターネットの中に閉じ込めることになった。しかし、「速い」インターネットはコロナ・ショックの以前から存在していたことは、疑いようがない。コロナ・ショックはそれ以前から存在していた「速い」インターネットを「加速」したのだ。

本書で再三述べたように、ＳＮＳのプラットフォームは大衆に発信する快楽を教えた。誰もが情報発信の能力を有する社会というWeb2.0の理想を、これらのプラットフォームは実現した。しかしその結果としていま、人類の多くが自分の発信が他の誰かに認められる快楽に酔いしれ、中毒になっている。人間とは愚かで、弱い生き物だ。極めて希少で、練り込まれた他人の物語を聞くよりも、それがどれだけ凡庸で、陳腐なものであったとしても自分の物語を語ることのほうに快楽を覚える。そしてその、ときに凡庸で陳腐な自分の物語がどのようなかたちであっても、だれかに承認されることを欲望する。

こうしている今もFacebookやTwitterを検索すればこの一時的な承認のために、タイムラインの潮目を読み、さほど関心の高くない話題に知ったかぶりをしたり、誰かの意見や表現に対して強引に、まるでアイスクリームを食べて身体が温まらないとクレームするような（実は論理的には成立していない）批判を加えては首を取ったかのように誇る人が少なくないはずだ。そしてそれはこの種の人々がプラットフォームの与えるインスタントな承認の中毒に陥っている証拠なのだ。

その結果として世界はいま、一つの巨大な相互評価のゲームに飲み込まれている。インターネットに接続されたほぼすべてのユーザーが、日常的な発信能力をもつ。そして多かれ少なかれ、自分の投稿が他のユーザーから評価されることを望んでいる。その結果として、今日のSNSのプラットフォームを中心としたインターネットは、他のユーザーからの評価を集めるゲームと化している。

しかし皮肉なことにほとんどの人間には、その凡庸で陳腐な物語すらも与えられていない。その結果として、人々は効率的に自己の投稿に注目を集めようとする。そのためにまず、既に多くのプレイヤーが話題にしていることに言及する。そしてその言及の内容は主流派の意見に対してYESかNOかのどちらかが選ばれる。それが、もっとも効率的に注目を集める方法だからだ。

こうして、インターネットの多様性は大きく後退した。ユーザー数の増加に比例して、発信される情報は多様になったとしても、シェアされる情報は多様化しなかった。これによって、社会はボトムアップの全体主義に近づいた。相互評価のゲームのプレイヤーとして、承認を交換するだけの機械のような存在になった人々は、タイムラインの潮目を読み、YESかNOだけを機械的に判断するだけの存在になった。承認を交換するだけの機械、いや単細胞生物――それがSNS上のプラットフォーム上の人間の実態だ。そしてここからが問題だが、既に確認したようにこのプラットフォーム上の相互評価のゲームは、既に経済的なマーケティングの対象になって久しく、そしてその延長に政治的な動員の手法としても定着してしまっている。そしてその結果として、先進国の国会が襲撃される事件まで引き起こし、民主主義の根幹を破壊し始めているのだ。

5．持たざる者たちの希望と絶望

SNSのプラットフォームで承認を交換するだけの存在――他者からの承認に飢えた、しかし語るべき物語を持たないゾンビのような人々――が発見したもっとも安価に、そして速く承認を獲得する方法が、発信により友と敵を分かつこと、メンバーシップを確認することだった。残念ながら、この2020年代においてもっとも効率的に承認を獲得する方法は、ある集団のメンバーとしてその集団が敵として憎み、排除したいと考えている別の集団やそのメンバーを貶め、詰り、批難する発信を行うことだ。そうすると、今日（こんにち）のプラットフォームの高い検索性能は、あなたの投稿をその味方の集団の誰かに発見させ、そしてあなたの投稿はいくつもの承認を獲得するだろう。もしかしたらその誰かを貶める投稿は広く拡散され、あなたは世界に一石を投じ、影響を与えたことを実感するかもしれない。あなたが何らかの実績を持って社会に認められた経験が乏しければ乏しいほど、その快楽は増大し、決定的な自己肯定感に結びつくはずだ。

これも本書で既に述べたことだ。民主主義とは、残念ながら何も持たない人々にとって、唯一の世界に素手で触れる方法になりつつある。それは本来、正しく社会変革に対する希望であるべきだ。しかし、今日のSNSのプラットフォームはその希望を絶望に転化する。プラットフォームは他の誰かを否定することで、別の誰かに肯定される快楽を覚えたゾンビたちの行為を、広告を通じて換金し、ドナルド・トランプに代表されるポピュリストたちはプラットフォーマーのビジネスモデルを利用して、ときにデマやフェイクニュースの拡散を交えて、ユーザーを動員するのだ。

この国の民主主義で第三極が機能せず、事実上第一極の補完装置としてしか機能しないのは、端的にこの構造の反映だ。

現代のこの国の民主主義においては第一極（保守与党）に、第二極（革新野党）が対抗するという構図が再び定着しつつある。この構図の長期化の中で指摘されているのが、第二極の敗北主義だ。つまり、第二極は第一極の一挙一動に、内容にかかわらず機械的に反対のポーズを（少なくとも表面的には）取ることで一定数の支持者を確保し続けることが可能になる。簡単に言えば最初から二着を狙い、それを盤石にするために必要以上の対決姿勢を取ることが、保身を優先させるなら安全な戦略になる。これが敗北主義だ。

そしてこの姿勢は、確実に政策論議を空洞化させる。この第二極の敗北主義を批判し、支持を集めるのが第三極（保守野党）だ。第三極は第二極の敗北主義を批判し、反体制のパフォーマンスではなく具体的な政策論議に耐えうる現実的な対案の提示を要求する。この第三極による第二極への批判は、平成という30年に及ぶ政治改革の時代に反復されてきた批判で、概ね正しいものだ。

しかし問題は今日において、この第三極こそが第二極に対する敗北主義に陥っていることだ。つまり、第三極の第二極に対する批判はそのまま彼らにも当てはまるのだ。

第三極は第二極の敗北主義を批判することによって、求心力を確保している。保守勢力に長く対抗できていないリベラル勢力を後出しジャンケン的に嘲笑うことで、最初から弱い側、負ける側を嘲笑い自分たちをより賢く見せる。そして現状肯定はしない、しかし敗北もしない、というポジションを擬似的に確保する。こうしたポジションが、誰かを否定することで自己を賢く見せたいと考えるプライドに実力の伴わないコンプレックス層に対して、強い求心力を発揮するのだ。

そして第三極のローリスク・ローリターンな生存戦略として、この第二極に対する敗北主義は今日の情報環境においては極めて有効で、合理的だ。既に述べたように、SNSのプラットフォーム上の相互評価のゲームにおいては、既に多くの人々が共有している話題に言及し、支配的な意見にYESかNOかどちらかの態度を表明することが、もっとも効率的な行動になる。このゲームを効率的に攻略しようとすると、第三極は自らその存在意義を減じ、第一極の補完勢力になるしかないのだ。

6. 金融資本主義とプラットフォーム

ここで問題となるのは、このゲームの二層構造だ。SNSのプラットフォームで展開される相互評価のゲームによる承認の交換が、多くの人々をゾンビのような存在に変えてしまっていることは既に述べた。そして、このゾンビたちの承認の交換の無限の反復行動が、経済的、政治的な動員として定着していることも既に述べた。これが意味するのは、このゲームは速く、安く、簡単に得られる承認の快楽によって緩やかな中毒症状に陥る人々のプレイするゲームと、それによって経済的、政治的な動員を達成する人々のゲームの二層構造になっているということだ。このとき、下位のゲームは上位のゲームによって規定されている。言い換えれば、下位のゲームとは、プラットフォーム上の相互評価のゲーム（承認の交換）であり、上位のゲームは現代的な金融資本主義のゲームに他ならない。

そして下位のゲームをプレイし、一時的な承認の交換を反復し続けるのは本書で紹介したディヴィッド・グッドハートの指摘するSomewhereな人々であり、上位のゲームをプレイし経済的、政治的な動員の成果を得るのはAnywhereな人々だ。Somewhereな人々は20世紀的な「政治と文学」の世界を生きているのに対し、Anywhereな人々は「経済とゲーム」の世界を生きている、とさらに言い換えることもできるだろう。

本書で紹介したように、Anywhereな人々は個人としてグローバルな資本主義という上位のゲームをプレイし、世界に素手で触れることができる。しかし、Somewhereな人々は民主主義を通じて、国民国家というローカルな装置に代表を送り込むことで世界に手袋をはめた状態で触れることしかできない。しかし、それが唯一の世界に触れる実感を伴う回路であるからこそ、彼らはそれにより強く没入するのだ。

このように記述すると読者は、持てるAnywhereな人々が持たざるSomewhereな人々をまるで家畜のようにコントロールし、収益を上げ、世界に素手で触れることで精神的にも充足しているかのようにとらえてしまうかもしれない。しかし、事態はより複雑で、深刻で、そして皮肉なものだ。

結論から述べればゲームの自己目的化に陥っているのは、Somewhereな人々だけではなく、Anywhereな人々も同じなのだ。Anywhereな人々がプレイする金融資本主義のゲームはゲームの規模を拡大させることでしか維持されない。このゲームは、未来においてその規模が拡大する可能性にこそもっとも大きな価値が与えられる。今日の金融資本主義のゲームにおいてはプレイヤー（主に株式会社）に想定される未来が計算されて、現在の値付け（株価）に置き換えられる。言い換えれば、予測される未来におけるプレイヤーの生み出し得る価値と、成長の速さ、そしてその事業が実現する成功率との掛け算で価値が決定される。この構造は、スタートアップという形式を可能にし多くの若いプレイヤーに機会を与え、今日の社会の経済的なアプローチの原動力になっている。しかし、その一方でこの構造はゲームそのものの規模が拡張することそのものを目的化してしまうのだ。

7. 21世紀のグレート・ゲーム

　ゲームの拡大そのものが目的化することは、人間に何をもたらすのか。

　ハンナ・アーレントは『全体主義の起源』の中で「グレート・ゲーム」という概念を用い、この問題を論じている。「グレート・ゲーム」とは19世紀後半のイギリスとロシアの中央アジアにおける対立を指す言葉だ。ラドヤード・キップリングの児童文学『少年キム』によって広まった概念で、アーレントはより広い意味で帝国主義下におけるヨーロッパ各国の、アジア・アフリカなどの植民地とその周辺における闘争の意味で比喩的に使用している。

　アーレントはキップリングの『少年キム』を論じてこう述べる。キムが愛されたのは「ゲームのためにゲームを愛した」からだと。イギリス人の孤児であり、インド人に育てられたという奇妙な出自をもつキムがその身を投じるスパイたちの闘争の世界には、ナショナリズムも人種差別も機能していない。そこで描かれるのは匿名のプレイヤーたちが、ただ純粋にゲームのスコア（敵国から賭けられた賞金の額）を競う世界だ。キムたちは、イギリスのためでも、インドのためでもなくゲームそのものの与える障害を乗り越え、その成果が数値化される快楽に没入していたとアーレントは指摘するのだ。そしてアーレントは、この『少年キム』の「ゲームのためにゲームを愛する」精神は植民地のヨーロッパ人たちに通底するものであり、この精神こそが帝国主義の原動力になったと述べる。それはどういうことか？

アーレントは述べる。植民地のヨーロッパ人たちの動機となっていたのは、ナショナリズムではない。むしろ自分たち文明国の住人がこの土地と社会を開発することが、この土地の人々にとっても必要なことであると考える傲慢な使命感なのだ、と。この精神の延長に、『少年キム』的なグレート・ゲームへの没入がある。そこではナショナリズムという利己ではなく、現地の人々のための利他であるというイデオロギーが作用して、人々は疑いなくゲームのプレイに参加する。そしてゲームの与える世界に触れる手触りに、成果が数値化される喜びに、人々は没入していく。この構造が徹底されると、もはや人々は自分が何者であるかを気にしなくなる。『少年キム』に登場するスパイたちがそうであるようにイギリス人もインド人も関係なく、自己は匿名化された呼称（idのような数字）で認識されるようになる。その匿名性は人間に自由を与える。その自由のもとで、人々は純粋にゲームのスコアだけを誇りに、それを求めゲームに没入する。そしてゲームのプレイは手段ではなく目的になる。そして、「ゲームのためにゲームを愛する」プレイヤーたちは、そのゲームがどのような目的のために運営されているのかを考える力を失う。そして、多くの人々がこの外部を考えられなくなったゲームのスコアを求め、攻略する快楽を求め続けていった結果として、帝国主義は無限に拡張していくことになる。逆を言えば、拡大することそのものが目的となっていた帝国主義のメカニズムは、このような「ゲームのためにゲームを愛した」プレイヤーたちの存在が組み込まれることで成立していたのだ。

そして、僕には拡張そのものを目的とする今日の金融資本主義こそが、21世紀のグレート・ゲームに見える。それはゲームの外部を考えることを放棄した、たとえ考えていたとしてもそれを表明する意欲を放棄したプレイヤーたちの存在があらかじめ組み込まれた構造をもつゲームなのだ。

8．回帰と加速

さて、このような現状理解に対して僕が本書で提案した「遅い」インターネットという処方箋は、微温的に映るかもしれない。それはプラットフォームの閉塞を内破するために、メディアに撤退する場所を設けるという戦略だからだ。これは魔法の杖ではなく、すべてを解決することはできない。しかし、世界の流れを変えるためには不可欠なピースである発想だ。ここに魔法の杖があると、嘘でも説くほうが商業的には有利なのだろうが、それは本書の趣旨に反するのでここでは禁じ手にしたい。

おそらく、より反技術主義的で、人間と人間が生身で触れ合うコミュニティの中でスローフード的な価値に基づいたなにかを利他的に贈与し合って、ときにぶつかり合いながら他者というものの生々しさに触れ合って生きるのが人間として正しいのだと、半ばテンプレート化したハートウォーミングな物語をコピー・アンド・ペーストしてセルフブランディングすることに忙しい文化人やアーティストや大学教員からして見れば、僕の処方箋は情報空間に留まっている点において徹底を欠くように見えるだろう。彼ら彼女らが大手マスメディアや大学といった社会的な温室の外側でその主張を実践し、それでいてセルフブランディング以上の社会的かつ具体的な成果が証明できるのなら、僕も中央線沿線や世田谷区に引っ越して、この種の人達のご近所づきあいに参加して、休日はファーマーズマーケットで世間話（この人たちのタイムラインで悪役を仰せつかった誰かの悪口）で盛り上がってもいい（わけがない）が、幸か不幸か、僕はそのようなケースを（大本営発表的なポジショントークの中で出てくる例を除けば）一つも知らない。とりあえず、この種の人たちはまず自分が温室の外に出ることと、一つでも、小さくてもいいから事実上の補助金詐取以外の手法で、社会的な成果を上げてみればいいと思う。そして、僕の知る限り小さくても成果をきちんと上げている人はたくさんいるが、彼ら彼女らはこの種の温室の中からのセルフブランディング以上の意味のない醜悪な言説を口にするようなことを絶対にしない。「利他」とか「贈与」とかいった言葉に酔う醜悪さを、よく知っているからだ。

そしてより技術主義的な立場からは、ここで述べられているような課題はより優れたアルゴリズムとより賢いビジネスモデル、そして何より新技術によって解決されるべきであり、そもそも人間の主体的なコミットメントによって構造を変革しようなどと主張する時点で、20世紀に魂を惹かれたオールドタイプだと指弾されるかもしれない。

もうすぐWeb3の時代が到来する。今日のインターネットの問題とは、Web2.0がプラットフォームに帰着し、ボトムアップの擬似的な中央集権を構築したことに集約される。しかしブロックチェーン技術とその結果出現するWeb3の時代は、根底からこのゲームを破壊する。プレイヤーによるゲームからの離脱運動など、そもそも必要がなくなる。ゲームそのものが決定的に、不可逆に変化するからだ……そう主張する人も少なくないだろう。そう述べることで金融機関や投資家から、あるいはＤＡＯのメンバーから実質的に集金している人は特にそのはずだ。

僕がこの本で、そしてこの文庫版の追加章にてアーレントを引きながら指摘したのは、このような精神こそが今日の「速すぎる」インターネットの原因に他ならないという現実だ。

それが世界を変えることと、変えられると信じることと、変えられると自他に言い聞かせることで運動を加速することは、本来は全く別のことだ。そしてプラットフォームに回収された今日のWeb2.0のある側面では偉大な、そしてある側面では醜悪な姿から僕たちが学ぶべきことは「変えられると自他に言い聞かせることで運動を加速すること」、つまりアーレントの述べるグレート・ゲームへの埋没が起きたとき、そこで優先されるのがゲームそのものの拡大と継続であり、ゲームの外部（たとえば社会そのもの）の変革は度外視されるということだ。

今日のプラットフォーム化し、疑似中央集権化し、そして相互評価のゲームの中にプレイヤーを閉じ込めるWeb2.0は、前述したようにより上位のグローバルな金融資本主義の拡大そのものを目的としたゲームへのプレイヤーの没入によって支えられているのだ。

前者（反技術主義者）のアナログな世界への「回帰」は、単にこの相互評価のゲームを陳腐な（それだけに、権威と結びついたときには有効な）セルフブランディングによって攻略しようとする安直な行為以上のものではなく、後者（技術主義者）の「加速」的なアプローチは、ゲームの自己目的化を拡大再生産する以上の効果はない。だからこそ、僕は魔法の杖がどこかにあり、それを嘘でもいいから提示するという誘惑を断ち切り「遅さ」を、つまり批判的技術主義の立場を選び取ったのだ。

9．戦争と「遅い」インターネット

では、この「遅さ」を用いて、コロナ・ショックによってさらに「速く」なったこのインターネットにどう対抗していくべきか。それを論じるためにまず、この3年の間に起きたもうひとつの事件について考えてみたい。それは2022年に勃発したロシアとウクライナの戦争だ。

この戦争については当初はロシアの圧倒的な軍事力を前に、ウクライナは数週間と保たないという分析が主流だった。しかし、実際の戦争はそう推移しなかった。予測に反してウクライナは持ちこたえ、現時点（2023年1月）も善戦を続けており、部分的には侵攻したロシア軍を押し戻してすらいる。

そもそも、この戦争の直接の引き金となったものの一つに、アメリカ軍のアフガニスタンからの撤退が存在する。国内に暴発寸前の前大統領ドナルド・トランプの支持層を抱え込むバイデンは、ある程度のポピュリズム政策を採用せざるを得ず、そのためのカードとして切られたのがアフガニスタンからの撤退だった。これは中央アジアの主導権をロシアと中国に委ねることを意味し、プーチンを強気にした。これが西側諸国の介入を過小に見積もることで決断されたウクライナ侵攻の背景だ。その意味においては、ロシア・ウクライナ戦争はトランプという現象の、もっと言ってしまえば「速い」インターネットの落とし子なのだ。

そしてもう一つ。この戦争の趨勢を大きく左右しているのが、現代的なプロパガンダの問題だ。この戦争におけるウクライナの優位の原因が、西側諸国の強力な支援にあることは疑いようがない。そもそも、プーチンによるウクライナへの侵攻がアメリカを始めとする西側諸国のウクライナへの支援が大きくないものにとどまることを前提にしていたことは前述した通りであり、この「番狂わせ」の最大の要因は間違いなくここにある。戦争の開始と同時に西側諸国の世論は沸騰し、そのことが各国政府のウクライナへの積極支援に結びついている。

そして、この成功の背景に存在するのが、ゼレンスキー大統領が矢面に立ったウクライナのプロパガンダ戦略だ。君臨するクレムリンから、高級なスーツに身を包み登場し威厳を演出しながら、国営放送を用いて自国民に対し陰謀論めいた主張を反復するプーチンと、前線を「思わせる」簡素な部屋の中でTシャツ1枚でカメラの前に立ち、平易な言葉で世界中の市民ひとりひとりに語りかけるゼレンスキーの「役者の違い」は明白だ。
　喜劇俳優出身であるゼレンスキーは、テレビの社会風刺コメディで人気を博し、政治の世界に進出したという経歴を持つ。大統領の座に挑んだ彼の選挙戦は、彼が大統領役を務めた番組の最新シーズンのように演出された。ゼレンスキーは今日におけるプロパガンダとは、それを受け取った人々の再発信を動機づけるキラーパスであることが必要になることを熟知している。プーチンとゼレンスキーの差とは、まずそのアピールの対象がローカルな国民国家の成員かグローバルな市民ひとりひとりかという認識の差であり、そしてそのメッセージが情報をただ受け取るためだけの存在か、受け止めたメッセージを再発信することにもっとも動機づけられる主体かという認識の差でもある。そして、西側諸国の市民ひとりひとりに情熱的に語りかけるゼレンスキーのプロパガンダは絶大な効果を上げ、戦争そのものの趨勢を大きく動かしている。

　ロシア・ウクライナ戦争が、グローバリゼーションと情報化の時代の終わりを告げるものであり、第二次世界大戦以前の地政学の時代への回帰が始まったとしたり顔で述べる人々も少なくないが、そう判断する前に、この戦争がトランプ現象の落とし子であるという側面を、そしてウクライナの国際的プロパガンダ戦略の有効性を直視するべきだろう。これは、極めて21世紀的な戦争であり、その背景には「速い」インターネットが存在するのだ。

10. プロパガンダの本質

ロシア・ウクライナ戦争の背景に存在し、その趨勢を大きく左右している「情報」の肥大した存在感に驚く必要はない。通信や映像といった技術が発展し、社会における情報の存在感が増大することに比例して、戦争と情報との結びつきがより強固なものになってきた歴史はとっくの昔から存在しているからだ。

〈プロパガンダの一部は大衆に関わっている。大衆の気持ちを戦闘で功績を挙げるのにふさわしくなるまで調整することであり、変わりやすい大衆の気持ちを一定の目的に前もって振り向けることだ。また、一部は個人に関わる。そのときには、プロパガンダは、意図的な感動を引き起こすことで心のゆるやかな論理的順序を超越し、人間味のある好意というめったにないわざとなる。それは戦術よりも油断がならず、より実行する値打ちがある。なぜなら、それは制御不可能なもの、直接には指揮できない対象を扱っているからだ。（中略）敵の心も、手が届く限りは調整しなくてはならない。そして銃後で我々を支えているほかの人々の心もだ。戦闘の半ば以上は、後方で起こっているからだ。さらに結果がどうなるか待っている敵国民の心も、そして注目している中立国民のそれも……〉［※34］

これはロシア・ウクライナ戦争におけるウクライナのプロパガンダ戦略を解説した文章……ではない。およそ100年前、第一次世界大戦の終結後に書かれた文章だ。書いたのはT・E・ロレンス――大戦中に活躍したイギリス軍のスパイで、アラブ反乱の扇動と指導で大きな戦果を上げた通称「アラビアのロレンス」だ。第一次世界大戦当時、イギリスはアラビア半島でドイツの同盟国トルコと対峙していた。このときロレンスは当時アラビア半島を支配していたトルコ（オスマン帝国）に対するアラブ人の反乱を扇動する任務を与えられていた。ロレンスは相対的に近代化されていたトルコ軍を、装備においても訓練においてもまったく比較にならないほど劣ったアラブ軍で「撃破」することは最初から考えていなかったと述べている。彼の戦略は砂漠を知り尽くした現地の遊牧民（ベドウィン）で結成した部隊でゲリラ戦を展開し、トルコ軍の大軍を長期にわたって一定の地域に釘付けにすることだった。具体的には、ロレンスは神出鬼没のベドウィンの部隊を率いて、当時のアラビア半島の大動脈だったヒジャーズ鉄道の爆破活動を繰り返した。それも完全には不通にせず、修理が可能な範囲に留めた。トルコ軍に広大な範囲を警戒させ続ける負荷とプレッシャーを与え続けることで、トルコの大軍をメディナに釘付けにし、事実上無効化すること――それがロレンスの戦略だった。

そしてロレンスがこの戦略を実現するために重視したのが、引用部にあるように「情報」だった。情報と、その独り歩きが大衆に与える心理的な効果こそを、ロレンスは重視していた。神出鬼没のベドウィンたちの部隊が、いつ鉄道を襲撃するか分からない――この物語が敵味方の陣中に、そして銃後の市民たちの間に拡散していくことで、ロレンスはトルコ軍に与えるプレッシャーを最大化したのだ。

ロレンスのこの戦略はその後非対称戦の教科書的なものとして扱われた。20世紀を通して継承され、八路軍やベトコンのゲリラ戦においても参照されている。そして、今日のウクライナのプロパガンダも、このロレンスの思想を受け継いでいるのだ。

このように、100年前にはすでに戦争は情報とそれにまつわる技術によって大きくそのかたちを決定されていた。二度の世界大戦――特に第二次世界大戦がラジオと映画（ニュース映画）の産物であることはよく知られている。放送と映像という2つの新技術に対して耐性のない当時の大衆は、それを最大限に活用した当時の独裁者たちのコントロールに抗えなかった。いや、むしろ情報を通じて一体感を得る快楽を自ら欲し、彼らに支持を与えていったのだ。そして冷戦下の相対的な安定は、言い換えればテレビという装置のもたらした安定であり、その終焉は衛星放送などの越境的な情報の流入によって国営放送で国民をコントロールしていた東側諸国の独裁政権への支持が崩壊したことに端を発している。そして、2011年9月11日以降の世界ではテロこそがもっともコストパフォーマンスに優れた政治的暴力として選択されている。相対的に小規模な象徴破壊を用いて敵国の報道をハックし、効果的にメッセージを伝達する――それがテロリズムの本質だ。そのため、今日のテロリストたちにはYouTubeをはじめとするインターネットメディアの利用が定着している。総力戦がラジオ／映画に、冷戦がテレビと結びついているように、テロはインターネットと結びついている。そして、今日のゼレンスキーのプロパガンダとそれに対抗するプーチンを支持する陰謀論が、ロシアとウクライナの戦争の趨勢を決定しているのだ。

いま、僕たちが目にしているのは極めて21世紀的な情報環境のもたらした戦争だ。そしてこの戦争は時代を加速することこそあれ、後戻りさせるものではないのだ。

11. モノからコトへ、再びモノへ？

では、この疫病と戦争から僕たちは何を持ち帰るべきなのか。

ここでは3つの提案をしたいと思う。

第1の提案、それはまず人間が人間外の物事とかかわることの快楽を思い出すこと、だ。

僕たちが疫病から持ち帰るべきことは、人間が人間としかコミュニケーションを取れなくなっていることが人間を貧しくするという教訓だ。ウイルスという非人間的な存在と時間をかけて試行錯誤しながらコミュニケーションを取るのではなく、人間同士の承認の交換でその未知の存在との接触のもたらす不安から逃避したことが、インフォデミックを引き起こしたことはすでに指摘した。だとするのなら、僕たちはまず人間以外の事物とのコミュニケーションを回復しなければならない。そしてこれがたぶん、意外と難しい。人間と違い、事物と人間との間には双方向のコミュニケーションが成立しない。他の誰かはあなたの投稿に「いいね」をつけてくれるけれど、事物はそうしてくれない。もちろん、あなたが長い時間をかけてその事物とのコミュニケーションを取れば事物の側も応答してくれる。何年か育てれば柿の木は実をつけるし、半年から1年研究を続ければ未知のウイルスのワクチンだって完成する。しかし、少なくともSNSのプラットフォーム上の人間のように素早くこれらの事物は「いいね」を返してくれないし、何より事物は「あなた」という個人を認識しない。だから事物からの応答はあなたという個人への承認には、ならない。しかしこの承認ではない応答のもつ快楽を増大しない限り、人間は承認の交換の中毒から離脱しないはずだ。

たとえば本書で取り上げた糸井重里は、「モノ」を「コト」で強化することでこの問題を突破しようとしたと考えることができる。単に質のいい「モノ」を提供するのではなく、その「モノ」のつくられた背景を物語化して伝えることで、「モノ」の力を拡大する。それが糸井の戦略だ。しかし、この観点から考えても糸井の戦略には大きな制約が存在する。「コト」でドーピングされた「モノ」はそれを他の誰かに誇ることで充足する行為（顕示）に人間を惹きつけてしまう。それはもはや相互評価のゲームの一部であり、そこで人間が味わっているのは事物そのものではなく、よい「モノ」を手にしている自分に対する他のプレイヤーの承認だ。そのため、「ほぼ日」の提供する「モノ」たちは僕たちが期待するほどタイムラインの潮目から、僕たちの暮らしを「自立」させてくれない。糸井が度々タイムラインの潮目を、自らの投稿でコントロールし、それに失敗することを繰り返してしまっていることは、そのこと（「ほぼ日」の提案する「暮らし」に重心を置いた「自立」のプロジェクト）の射程の短さを証明しているように思える。

僕があくまで「コト」の次元で、「遅い」インターネットを実現することを考えた理由はここにある。人間は簡単に承認の交換から、相互評価のゲームから降りることはできない。

しかし、その速度を遅くすることはできる。そして、そこで生じた時間的な「ズレ」に、事物を用いて他のプレイヤーからの承認を獲得するの（人間間のコミュニケーション）ではなく、事物そのものから受け取る快楽（人間と事物のコミュニケーション）が入り込む余地がある。

そしてもう一つ、糸井の「ほぼ日」の提供する「モノ」の気持ちよさは、「手に馴染み」すぎることとの問題がある。それは確実に素晴らしいことで、僕も個人的には愛好して止まないものだ。その「モノ」の力は、人間と世界とのあいだの摩擦を解消し、心地よい接触に変えていく。僕たちは「ほぼ日手帳」を使い、「カレーの恩返し」で食卓を彩ることで、毎日を「中くらいの」「ゴキゲン」に保つことができる。しかし、これらの「モノ」は人間と世界とを調和させるために、考えることを単に放棄した現状肯定のイデオロギーと結託しやすい。パンとサーカスを与えられたローマ市民たちが、奴隷や属州からの搾取を問題視しなかったように。それはたしかに現状批判のイデオロギーに依存することで、自分は「正しい」と自分に言い聞かせることで精神を安定させている（ために、異なるイデオロギーを掲げる人々にはどこまでも残酷になることができる）人々の解毒には大きな効果をもつ一方で、言い換えれば共同幻想から強く自立することを可能にする一方で、暮らしの中で充足する自己幻想は人間の眼を塞ぐのだ。

12．肉でも穀物でも酒でもなく、禁断の果実を

では、逆にこのように（「コト」の側面を与えられることで）強化された「モノ」が、タイムラインの速さに流されることなく、人間の眼を開くことはできないだろうか？

ここで必要なのはむしろ日々の暮らしを豊かにするものではなく、むしろ失敗させるような過剰な事物だ。コトコト半日煮込んだ夏野菜いっぱいのカレーライスを、「カレーの恩返し」を用いて仕上げるその一方で、一口目の至福と引き換えに食べた後は胃もたれと翌朝の体重増加で死にたくなるような二郎インスパイア系のラーメンが必要なのだ。どちらも、目の前の皿／丼の力で、人間を一時的にタイムラインの潮目から「自立」させる。しかしその結果として、世界との調和ではなくむしろ違和感や後悔や欠乏や、ムラムラしたものが残らないといけないのだ。

「ほぼ日」のそれが、肉食（イデオロギー）に疲れた胃に与える穀物なら、僕が必要だと思うのはむしろ糖度の高い果実だ。あるいは食後の余計なひとくちとしてのアイスクリームだ。肉料理（イデオロギー）に主食としての穀物（暮らし）を合わせるのではなく、それを穀物

を発酵させたもの＝酒（人間間のコミュニケーション）で流し込むのでもなく、禁断の果実の誘惑によって、正しさとは異なる快楽に結びつけて変化させること。肉の味を引き出すために果実のソースを用いるように、人間の欲望を抑えるのではなく開くことで、他の欲望にも浮気させることで特定の共同幻想に依存しなくなること。それがいま、僕たちには必要なのだ。

13. 強い事物と弱い人間

こうして考えたとき、「遅い」インターネット（タイムライン＝共同幻想からの時間的な「自立」）を支援するために、僕たちは何を手に入れるべきか。それは人間間のコミュニケーション、とりわけ承認の交換の外側にあるものでなければいけないし、その一方で人間の眼を塞ぐのではなく開かなければいけない。

誤解しないで欲しいのだが、僕は別にＳＤＧｓや反戦平和のスローガンが全ページに記された「ほぼ日手帳」や、８００字のコラムで主張できる程度のソーシャルグッドな主張を不必要に掲げた現代アートのできそこないのようなものが必要だと言っているのではない。むしろ、（「コト」の側面を与えられることで）強化された「モノ」を用いれば、そしてそれが穀物のように人間を一定の状態に保つのではなく、禁断の果実のように強く誘惑するものであれば、人間を時間的に自立させながらも「中くらいの」「ゴキゲン」ではなく、もっと異なったアプローチを実現できるのではないかということだ。

たとえば、人間が、森の中に足を踏み入れる。その静かで、緑の豊かな環境に気分が落ち着く。しかし、そこにノイズのように虫の羽音が聞こえてくる。最初はそれが、不愉快でたまらない。中には、蚊のように人間を刺す虫もいるかもしれない。しかし、虫たちを注視していると、その人間とは遠い身体や、その人間とはまるで異なる挙動に興味を抱くようになる。虫の眼を通して世界を見たらどのように見えるのだろう、と考え始める。そして、気がつけば虫そのものを探すようになっていく。虫というのは非常に多様に進化した生物で、いま地球上には昆虫の定義に該当する虫だけで35万種が確認されているので、一度虫を探し始めるとそれはほとんど終わりのない旅になってしまう。

しかし、ここで重要なのは虫そのものではない（これはあくまで比喩だ）。重要なのは、人間は強い力を持った事物（「コト」や「モノ」）に遭遇するとき、一定の確率で不愉快になる。しかし、そのノイズ的な事物に反復して接していると、視点の転換が起こりその事物に触れることに逆に惹かれるようになる。それは単純な快楽でも、安心でもない。他のプレイヤーと共感するときに感じる安心とは真逆の、むしろ理解し得ない事物に遭遇し、心がかき乱される体験だ。やがて未知の世界がそこに存在し、それをもっと深く知りたいと突き動かされるような衝動が起きる。そしてこのとき自分自身がどうなりたいかという欲望は、つまり自己幻想はまったく機能しなくなる。ファーブルが地面にへばりついて、全身を土埃にまみれながらフンコロガシが牛糞を丸めている姿を観察しているとき、彼は第三者に自分がどう評価されるかを意識していたかは限りなく怪しい（たぶん、まったく気にしていない）。

そして重要なのはファーブルが自身の探求をやがて世界に発信したように、それが事物そのものを「つくる」ことにつながっていくことだ。今日の情報空間の不毛さは、アテンション・エコノミー的には事物をつくるよりは、それを論評すること、それも独自の視点も建設的なアイデアもなく、単にタイムラインの潮目を読み事実上無内容な持ち上げか、罵詈雑言を投稿することのほうがコストパフォーマンスが良いことに起因している。だからこそ、事物を「つくる」側に立つことが、この状況に対する抵抗の第一歩となる。

「中くらいの」「ゴキゲン」ではなくむしろノイズを与え、それがむしろ知的な好奇心へ、快楽へと転化するまで与え続けること。それを日常の、自分の物語として「暮らし」の中に埋め込むこと。そして事物そのものを「つくる」側を支援すること。これらのアプローチが必要なのではないか、と僕は考えている。共感すること、他のプレイヤーと承認を交換すること「ではない」快楽を覚えること。しかしそれが、自己と世界とを和解させる「中くらいの」「ゴキゲン」ではなくて、むしろ自分と世界が調和しないこと、つまり常に動き、ズレることの快楽であること――これが「遅い」インターネットが実現するための、一つの前提になるはずなのだ。

14. プラットフォーム下の実空間

作家でもアスリートでも、マニアでも起業家でも、自分以外の事物に執着し、まだ存在していない事物を生み出すために、人生を最適化させず歪めてしまうケースは少なくない。そして創造性というものは、こうした失敗の延長にしか存在しない。

しかし、本書で再三指摘したとおり、ほとんどの人間は事物そのものにそこまで強く惹かれることはない。したがって、さらにそれを自分で「つくる」ことなど欲望しない。僕の考えでは、こうした人々はそれまでの人生で、強い事物に出会い、心を侵された体験がないだけだ。そのために、自分以上に愛するものがない。人生の比較的早い段階で、自分以上に愛する事物に出会うこと――それは確率の問題でしかない。しかし、その確率を引き上げることはできる。僕の考えでは、おそらく現代のプラットフォームに欠けているものはここにある。人間は、もっとより強い事物に襲撃される環境下にあるべきなのだ。他の人間としか出会えず、承認の交換しかできないプラットフォームを社会の基盤にしつつあるからこそ、人間外の強い事物に出会うことのできる別の場所を、人為的に構築することが必要になっている。それも、サイバースペースと実空間の双方において、だ。

僕の第2の提案――それは人間が人間外の事物（それは、ときに予定調和的なものではなくノイズでなくてはいけない）に触れ、その快楽を思い出すことのできる場所を、サイバースペースと実空間の双方に確保することだ。本書で提案する「遅いインターネット」的なアプローチが普及すれば、それは十分にサイバースペースにおけるそれとして機能するはずだ。

そして、僕は「遅いインターネット」と同じような場所が実空間にも必要とされているように思える。それは、既に実空間もまたプラットフォームの支配下にあると考えるからだ。

そもそも、ほぼ全人類が常時接続の端末（スマートフォン）を持ち歩いているということは、空間というものの性質が大きく変わっていることを意味する。同じ物理空間にいることが、その気持ちまで一緒にいることを意味しないことを既にほとんどの人類が経験的に知っている。したがって、サイバースペースのプラットフォーム化による閉塞は物理空間にも影響を及ぼしている。既に話題になっていることに言及し、主流派の意見を肯定するか、否定するかのどちらかを選択することがもっともコストパフォーマンスのよい承認の獲得につながるゲームの支配下に、もはや街頭は飲み込まれている。少なくとも「インスタ映え」という言葉が定着した時点ではそうなっていたはずだ。そうでなければ、このような言葉が定着することはない。

そもそも２０１０年代とは、政治的にも文化的にもＳＮＳのプラットフォームを通じて人間が実空間に動員されていった時代だった。「アラブの春」から雨傘運動まで、音楽産業の「夏フェス」依存から、アニメからアイドルへのオタク文化の中心の移行まで――これらはすべて、ＳＮＳのプラットフォームを通じて人間が実空間へと「動員」された現象としてまとめることができ、本書2章で論じた「他人の物語」の受信から「自分の物語」の発信への現代人の欲望の移行の結果なのだ。

そして、サイバースペース内に「遅い」インターネットの運動が展開されるように、実空間にも「遅さ」が必要だ。僕はそう考えている。

もちろん、僕は地方創生や街おこしといった類の議論をここではじめるつもりはない。こういった単語は、むしろプラットフォーム上のアテンション・エコノミーにどれだけ効率よく対応するかで勝負が決まる世界に限りなく近い。本屋のたとえで言うのなら、Amazonの侵略を前に個人経営の棚に個性のある本屋がどう対抗するか、という問題に近い。多くの書店が、アマゾンの売れ筋ランキングを参考に棚を作っている現在は、まさにプラットフォームの支配下に実空間が収まった時代だと言える。しかし、ここに対抗するために必要なのが、店主の趣味のたっぷりと反映された個人経営の書店の棚「だけ」ではいけないというのが、僕の考えだ。僕はこの種の個人経営の書店が好きで、こっそりよく顔を出すのだけれど、通い慣れてくると良くも悪くもこの書店に「ありそうな」本が並んでいると感じるようになる。それは、もちろん洗練された良い選書に違いなく、とても参考になる。しかしそれは究極的には予期されたレコメンドになる。ここに行けば、このようなものが並んでいるという予期の範囲に収まってしまう。しかし本当に人間を変えるのは、森で虫に襲われるように予期を超えて目の前に現れた事物に心を侵されたときだ。人間は、予想外の場所と時間に受けた不意打ちに、もっとも無防備な心を襲われ、受け入れてしまう。

では、この比喩で言えばそれはどのような棚なのか。

それは（あくまで比喩なので怒らないで欲しいが）BOOK OFFの100円コーナーのワゴンのような棚だ。このワゴンには、単に「汚れているから」「一定期間売れなかったから」というまったく内容を度外視した理由で古今東西のあらゆる本が放り込まれる。そして、内容で選ばれていない「からこそ」僕たちはそこで本当に予期しない事物に出会うことができる。この世界にはAmazonだけではなく、個人経営の本屋も必要で、そしてBOOK OFFの100円コーナーの、僕ら本を作る人たちをバカにしきったあの暴力的なワゴン「も」必要なのだ。

15.「庭」へ

そして僕はこの個人経営の本屋とBOOK OFFの100円ワゴンが共存する「ような」場所――プラットフォームを内破する場所――を「庭」という概念で考えている。

僕たちはSNSのプラットフォームでは人間としか出会えないし、その機能は他の人間と承認を交換するものだけに特化している。このことが、人間を人間の世界だけに閉じ込めている。

たとえば、僕の暮らす東京は極度に鉄道に依存した都市構造を抱えている。僕は高田馬場に長く暮らしているが、実際には距離がそれほど離れていない雑司が谷や中野坂上よりも距離的にはずっと遠いはずの九段下や恵比寿の方を近くの街に感じている。これは、鉄道を用いたときの所要時間と乗り換えの有無がもたらす体感的な距離だ。僕たちはこのとき点から点へ、駅のプラットフォームからプラットフォームへと移動している。しかし、鉄道ではなくタクシーを利用したときに、自転車を漕いで移動したときに、自分の足で歩き、走ったときに僕たちは本来の距離感を取り戻す。川の流れを、地面の起伏を、街と街のつながりを体験することができる。

同じように、僕たちは人間間の承認の交換に特化したプラットフォームから離れることではじめて、事物そのものと向き合うことができる。他の誰かが褒めているから、自分もこの本を褒めようと考えることからも、他の誰かが批判しているから自分も石を投げようという考えからも離れて、それぞれの事物そのものを吟味できる。

それは言ってみれば「庭」のような場所だ。

「庭」とは人間が作った、自然のミニチュアだ。プラットフォームには人間しか、それも情報技術に承認の交換以外の機能を奪われたゾンビのような人間しか存在していない。しかし

「庭」は異なっている。そこにはさまざまな草木が生え、小動物が蠢いている。「庭」とは人間外の事物と触れ合う場所なのだ。

そして「庭」で人間が触れる事物は、あらかじめコントロールされたものだけではない。「庭」とは個人の家屋と外の世界との結節点——個人と世界を繋ぐ場所——だ。そして、どこに何の草木を植え、どこに池を掘り、石を置くかはすべて人間が設定できる。しかし、完全には支配できない。そこは常に外の世界の干渉を受ける。風雨に晒され、予期しない虫や雑草が入り込む。その結果として、人間は想定外の事物とそこで遭遇することになる。気がつけば、見知らぬ花がそこに咲いていることに驚き、見知らぬ虫の襲撃を受ける。

そこは確実に人間が関与できる場所だが、支配することはできない。この不完全性こそが、人間にとって必要なものだと僕は考える。支配することはできないが、関与し続けることによってより望ましいものに変えていくことができること。この手触りが人間には必要なのだ。

そして、今日の私たちの多くが集合住宅に暮らし、「庭」を持たない。この「庭」はもちろん比喩だ。しかし必然性のある比喩だ。いま、人類は「庭」を、関与できるが完全には支配できない個人と世界、「私」と「公」の結節点を失っている。その結果として、ＳＮＳのプラットフォームで肥大した自己像に承認を与えるために愚かな投稿を反復し、考える力を自ら放棄していっている。では、どうするか。僕の考えは、むしろ公共の場所（サイバースペース／実空間の双方）に「庭」的な機能を与えるべきだというものだ。それは、今日のとりあえず公園にスターバックスを誘致するといった類の都市開発とは真逆のものになる。公共の実空間こそが、むしろノイズを受け入れる場所として開放的に設計されなければならないし、そこは市民ひとりひとりが支配できないが関与できるものになるべきだろう。この来たるべき公共の共有地＝コモンズのビジョンを考える研究開発のプロジェクトを、僕はこの春から〈「庭」プロジェクト〉と題してはじめることにした。建築家、哲学者、人類学者、ケアの専門家など、さまざまな分野から知恵を集め、数年かけて「庭」的なコモンズのビジョンをまとめて、発表するつもりだ（詳細は『群像』（講談社）２０２３年2月号掲載の僕の連載「庭の話」を参照してもらいたい）。[※35]

これは個人的には、本書の冒頭で紹介した「オルタナティブ・オリンピック／パラリンピック・プロジェクト」の復讐戦でもある。僕たちは、あの空疎な茶番に対し何もできなかった。あのオリンピック／パラリンピックはパンデミックがあろうがなかろうが、そもそも開催どころか誘致すべきものではなかった。それがあまりにも杜撰で、無内容で、安直なイデオロギーと打算の産物だったことはもはや誰の眼にも明らかだ。しかし、僕たちはそのことに警鐘を鳴らし、そしてただ反対するだけではなく建設的な対案を示すことでの批判を試みたが、大きな波を起こすことはできなかった。しかし、今度は違う。あれから僕たちも少しは知恵がついた。今度はもう少し先のことを見据えているし、体制の内部にも仲間を作っている。そして何より、象徴的な一つの非日常的なイベントをハックすることでメッセージを伝えるのではなく、僕たちの日常の暮らしを、まちづくりを通じて変えていくことを考えている。非日常×他人の物語ではなく、日常×自分の物語からアプローチすること。これは、僕が本書『遅いインターネット』から持ち帰った知恵だ。

16．SDGsの18番目の目標

実空間が「庭」的なコモンズによってプラットフォームの支配力から部分的にでも解放されるとして、サイバースペースはどうなるのか？　おそらく、Web3化の中で乱立するであろう、小さなコミュニティとそのDAO的な運営が、実空間における「庭」的なコモンズを代替することになることが期待されることになる。

しかし、僕はこの期待にはやや悲観的であることはすでに述べた。サイコロを振って出た目が良く、仮に機能したとしても、それは個人経営の街の本屋にはなるかもしれないが

BOOK OFFの100円コーナーのワゴンを代替することは難しいだろう。そして出た目が悪いときは気がつけば、どのコミュニティを覗いても偽善的に持続可能性とウェルビーイングを掲げるセルフブランディング目的のプレイヤーたちのたまり場だったり、その反動としてのインセルや陰謀論者たちがその怨念を吐き出す掃き溜めになってしまっている（まるでWeb2.0のような）未来も十分にあり得るだろう。

僕の第3の提案は悲観的な予測に基づいて、消去法的にダメージの少ない選択肢をしっかり担保しておくことだ。パンデミックと新しい戦争を経て、僕たちが学んだこと――それは大きかろうが小さかろうが、広告モデルだろうが課金モデルだろうが、私企業が運営するプラットフォームが公共的なものを担うことは難しいということだ。少なくともこの2020年代においては実空間を民間のデベロッパーが開発するときと同じレベルの規制（ルール）が必要である、というのが僕の結論だ。そう、僕は今おそろしく反動的なことを述べている。多くの反発を招く意見だろう。しかし、消去法で考えてこれしかない。私企業の運営する1サービスとしては力を持ちすぎたこれらのグローバルプラットフォームは、より強い規制のもとに運営されるしかない。そして、その装置とは少なくとも2020年代においては、国民国家とその連合体以外にあり得ない。そして、その国家は可能な限り民主的に運営される必要がある。冗談じゃない、何を言っているのだと多くの読者が思うはずだ。お前は、ほんの数十ページ前に、民主国家のソフトなデジタル・レーニン主義への軟着陸に対して警鐘を鳴らしたばかりではないか、と。僕もそう思う。だから、できればこれは避けられるべきだ。いずれは、万民に開かれたプラットフォームを技術的に実現する夢を見ても良いだろう。未来をSF的に構想する試みを冷笑することほど愚かなことはない。しかしそこにたどりつくためにも、まずは私たちが、自由な言論と表現の場を維持するためにこそ民主政治によって管理・運営されるプラットフォームが必要な段階であることを、まずは認めることからはじめるべきだ。そしてもしかしたらこのことが、国家という装置に加えられた新しい、もしくは最後のミッションなのかもしれない。

僕は官製プラットフォームが望ましいとは考えない。それがどれだけ正統性を帯びたものであったとしても、ユーザーに選ばれなければ無用の長物と化すことは今回の疫病の感染対策のために莫大な予算と人員を投下した数々の官製アプリケーションが証明している。しかしこうした数々の失敗から正しく学ぶことで、GoogleやFacebookなどの私企業のプラットフォームに対する諸国家からのアプローチを、より深いレベルに踏み込んだものにすることができるはずだ。

僕もこの発想がどれだけ危険で、実現が困難なものかは理解しているつもりだ。しかしそれ以上に重要なのは私企業の運営するプラットフォームが公共を担うことは難しい、という現実を僕たち人類がいい加減に認めることだ。そして少なくともいま、この瞬間は程度の差こそあれ、何らかのかたちで「十分に民主的に運営された（どのような状態が「十分に民主的」かという議論は別にしなければいけないが）国民国家がプラットフォームを抑制する」以外の解は存在しない。素晴らしい未来の到来は既に技術的に保証されている、という言説を弄して集金しようという邪な考えを捨てる勇気さえあれば、短期的にはこの解しかなく、そして長期的に本当に慎重かつ批判的に用いられた情報技術を応用してこの問題を解決するためにも、この段階——情報技術に振り回されない人類の民主主義の成熟——は不可欠なはずだ。

魔法の杖のようなアイデアを、投資家やベンチャーキャピタルから資金が調達できそうなアイデアを期待していた人は落胆するかもしれない。しかし、前述したように今日の問題はこのように「未来」の可能性を「いま」の価値に換金するシステムを、応用してはいけない範囲にまで応用してしまったことが引き起こしている。僕たちは、他の場所でイノベーティブであるためにこそ、この場所ではそれを禁じ手にしなければならない。魔法の杖は、ここでは存在しないし、存在したとしても力を発揮しない。この問題については魔法の杖が存在するというイデオロギーこそが、失敗の本質なのだ。考えれば考えるほど、それしかない。未来の可能性を、いまこの瞬間に換金することそのものを僕は否定しない。しかし、そこには一定の制限が必要だと考える。豊かな実りを得るためには、ときに畑に与える水を抑制するように。

「民主主義を半分諦めることで、守る」というのが本書の主張の一つだ。だからこそ、プラットフォームに対し、少なくとも現在よりは強い外部からの干渉が、具体的にはその暴走を抑制する成熟した民主主義が必要なのだ。本書で主張した情報技術に支援され、よりスマートなものに進化した民主主義のシステムを使いこなすためには、市民の側の成熟もまた避けては通れない。これは理想論ではなく、消去法で導かれたもっとも現実的なシナリオなのだ。情報技術で大きくアップデートされた民主主義に対応できるように、市民の側ももう少しだけ（この国の場合「かなり」かもしれないが）賢くなる。技術と人間が少しずつ歩み寄る。これしかない。だからこそ「書く」ことと「読む」ことに立ち返る草の根の運動が、必要なのだ。そう、やはり議論はここに帰着する。ＳＤＧｓの18番目の目標に加えてもらいたいくらいだ。いま必要なのはやはり「遅い」インターネット、なのだ。

【注釈】

※34（P291）
トーマス・エドワード・ロレンス、ジェレミー・ウィルソン 編、田隅恒生（翻訳）『完全版 知恵の七柱』〈1〉（東洋文庫）2008年

※35（P308）
宇野常寛「庭の話　第8回「庭」プロジェクト」（『群像』2023年2月号、講談社）

この作品は二〇二〇年二月小社より刊行されたものに
新章を加筆したものです。

幻冬舎文庫

●好評既刊
昨日のパスタ
小川　糸

ベルリンのアパートを引き払い、日本で暮らした一年は料理三昧の日々でした。味噌や梅干しなどの保存食を作ったり、お鍋を愛でたり。小さな暮らしの中に流れる優しい時間を綴った人気エッセイ。

●好評既刊
じゃない方の渡辺
桂　望実

渡辺展子はいつも「ついてない」。親友は学校一の美女〝渡辺〟久美。展子は「じゃない方」の渡辺になる。就活では内定が取れず、夫の会社は倒産。常に満たされなかった展子に幸せは訪れるのか？

●好評既刊
私のテレビ日記
清水ミチコ

人気ドラマ『あまちゃん』に出演した年から、ユーミンのモノマネで『高輪ゲートウェイ』を歌った年まで。テレビの世界の愛すべき人と出来事を軽快に書き留めた日記エッセイ。

●好評既刊
帆立の詫び状
てんやわんや編
新川帆立

デビュー作『元彼の遺言状』が大ヒットし、依頼が殺到した新人作家はアメリカに逃亡。ディズニーワールドで歓声をあげ、シュラスコに舌鼓を打ち、ナイアガラの滝で日本のマスカラの強度を再確認。

●好評既刊
猫だましい
ハルノ宵子

乳がん、大腿骨骨折による人工股関節、ステージⅣの大腸がん……自身の一筋縄ではいかない闘病と、両親の介護と看取り、数多の猫との出会いと別れ――。いのちについて透徹に綴る名エッセイ。

幻冬舎文庫

●好評既刊
オタク女子が、4人で暮らしてみたら。
藤谷千明

気の合う仲間と一軒家暮らし。この生活に、沼落ちしました！　お金がない、物が増えていく、将来が不安……そんな思いで始めたアラフォーオタクのルームシェア。ゆるくてリアルな日常エッセイ！

●好評既刊
今日のおやつは何にしよう
益田ミリ

バターたっぷりのトーストにハマり喫茶店に通ったり、買ったばかりのレモン色のエプロンをつけて踊ってみたり。なんてことのない一日。でも、できればハッピーエンド寄りの一日に。

●好評既刊
また明日
群ようこ

同じ小学校で学び、一度はバラバラになってそれぞれの人生を歩んだ五人が、還暦近くになって再会した。会わない間に大人になったところもあり、変わらないところもあり……。心温まる長編小説。

●好評既刊
日本一の幽霊物件
三茶のポルターガイスト
横澤丈二

幼少期から霊感を持つ劇団主宰者の横澤は、東京・三茶のビル内に稽古場を構える。大家から「ここ〝出る〟から」と告げられた3日後、エレベーターに異変が……。30年にわたる戦慄と真実の心霊史。

●好評既刊
さよならの良さ
どくだみちゃんとふしばな8
吉本ばなな

「昼休みに、スイカバーを食べたい」「お風呂に入って、汗をかくまで湯船につかろう」思い付きを早く小さく頻繁に叶えると、体や脳が安心する。上機嫌で快適に暮らすコツを惜しみなく紹介。

遅(おそ)いインターネット

宇野常寛(うのつねひろ)

令和5年4月10日　初版発行

発行人——石原正康
編集人——高部真人
発行所——株式会社幻冬舎
〒151-0051東京都渋谷区千駄ヶ谷4-9-7
電話　03(5411)6222(営業)
　　　03(5411)6211(編集)
公式HP　https://www.gentosha.co.jp/
印刷・製本—中央精版印刷株式会社
装丁者——高橋雅之

幻冬舎文庫

ISBN978-4-344-43277-2　C0195　う-18-2

この本に関するご意見・ご感想は、下記アンケートフォームからお寄せください。
https://www.gentosha.co.jp/e/